Savannah Bay

MARGUERITE DURAS

Savannah Bay

LES ÉDITIONS DE MINUIT

© 1983 by Les Éditions de Minuit
7, rue Bernard-Palissy — 75006 Paris

ISBN 2-7073-0668-1

Tu ne sais plus qui tu es, qui tu as été, tu sais que tu as joué, tu ne sais plus ce que tu as joué, ce que tu joues, tu joues, tu sais que tu dois jouer, tu ne sais plus quoi, tu joues. Ni quels sont tes rôles, ni quels sont tes enfants vivants ou morts. Ni quels sont les lieux, les scènes, les capitales, les continents où tu as crié la passion des amants. Sauf que la salle a payé et qu'on lui doit le spectacle.

Tu es la comédienne de théâtre, la splendeur de l'âge du monde, son accomplissement, l'immensité de sa dernière délivrance.

Tu as tout oublié sauf Savannah, Savannah Bay.

Savannah Bay c'est toi.

M. D.

La jeune femme : Elle a entre vingt et trente ans. Elle aime Madeleine de la même façon qu'elle aimerait son enfant, rigoureusement parlant. Madeleine, elle, laisserait faire cet amour pour elle de la même façon qu'un enfant.

Madeleine : Je la vois de préférence habillée de noir, sauf la robe essayée que je vois blanche, fleurie en jaune clair.

Le rôle du personnage nommée Madeleine dans *Savannah Bay* ne devra être tenu que par une comédienne qui aurait atteint la splendeur de l'âge.

La pièce *Savannah Bay* a été conçue et écrite en raison de cette splendeur.

Aucune comédienne jeune ne peut jouer le rôle de Madeleine dans *Savannah Bay*.

Sur la scène il y a deux lieux qui se suivent : une espèce de cosy-corner à gauche, un peu escamoté, et au milieu de la scène une table et trois chaises.

Il n'y a rien aux murs. Il y a les rideaux du théâtre.

Sur l'une des chaises il y a une robe à fleurs, étalée.

La scène est éclairée comme la salle. Lumière morne qui fait penser à celle des halls d'hôtel la nuit.

C'est dans cette lumière que Madeleine entre. Elle va vers le centre de la scène, la table et les chaises. Elle s'assied sur celle des trois chaises qui est la plus en vue de la salle.

Dès qu'elle apparaît, avec elle entre le bruit d'une rumeur de voix lointaines qui vient de derrière les rideaux.

Quand elle s'est assise, on l'éclaire, elle, le centre du monde. La lumière grandit sur elle et puis s'arrête. Le lieu est prêt pour le spectacle. Le décor est dans une ombre

9

relative. Seule Madeleine est dans la lu-
mière théâtrale.

Elle est de biais face au public. Elle se tait.
Toujours ce bruit de voix de derrière les
rideaux du théâtre du côté du cosy-corner.
Ce sont des voix jeunes, naturelles, celle
d'une femme jeune et d'un homme jeune
et possiblement aussi celle d'un enfant.
Les voix pourraient rire à un mot (inau-
dible) de l'enfant, une fois.

Madeleine écoute cette rumeur avec beau-
coup d'intensité. Elle n'essaie pas du tout
de comprendre les propos. Elle écoute
avec effroi le tout du bruit que font les
voix.

Il se passe ainsi un long moment pendant
lequel Madeleine est livrée au public afin
qu'il la voie dans sa solitude, son égare-
ment d'enfant, l'accomplissement de sa
majesté.

Et puis voici que, toujours de derrière les
rideaux, une voix de disque avec orchestre
chante « Les Mots d'Amour » d'Edith Piaf.
C'est très lointain, très étouffé.

Ça concerne pareillement toutes les mé-
moires.

Madeleine reste devant le public pendant
le temps du refrain, deux minutes. On di-

rait qu'elle reconnaît la voix de la chanteuse, mais qu'il s'agit là d'une mémoire fragmentée qui sans cesse se perd, s'ensable. Madeleine est dressée dans l'effort de la mémoire, à la fois affolée et tranquille, au-delà de toute atteinte d'une quelconque douleur, au centre indolore de la douleur.

C'est alors que de la droite de la scène entre le deuxième personnage de la pièce, une jeune femme. Elle sera la Jeune Femme. Elle ne portera pas de nom.

La Jeune Femme vient près de Madeleine. Elle s'assied par terre, à ses pieds. Elles ne se regardent pas. La Jeune Femme sourit. On dirait que Madeleine éprouve de la peur. La Jeune Femme met son visage sur les genoux de Madeleine. Madeleine désigne l'arrière de la scène.

MADELEINE. — Qu'est-ce que c'est ?

JEUNE FEMME. — C'est Jean et Hélène. Ils ont apporté un disque pour vous. (*Temps*). Ils sont repartis *.

---

* Au cours de la pièce il y aura ainsi des visites de « Robert », de « Suzanne » de « Jean-Pierre »,

11

MADELEINE. — Ah bon...

*La Jeune Femme caresse les mains
de Madeleine, les embrasse. La
voix de la chanteuse cesse.*

JEUNE FEMME. — Vous reconnaissez cette
chanson ?

MADELEINE (*hésitation*). — C'est-à-dire...
un peu...

Temps long.

JEUNE FEMME. — Je vais la chanter et
vous, vous répéterez les paroles.

*Madeleine ne répond pas. Elle fait
une légère moue. La Jeune Femme
la regarde avec gravité.*

JEUNE FEMME. — Vous ne voulez pas ?

MADELEINE. — Si... si... je veux bien...

---

de « Claude », etc., générations issues d'elle qui
passent par là, mais qui jamais ne seront vues.
Seulement entendues de loin.

*La Jeune Femme continue à re-
garder Madeleine avec une gravité
intriguée. Madeleine passe la main
sur le visage de la Jeune Femme.*

MADELEINE. — Vous êtes ma petite fille ?

JEUNE FEMME. — Peut-être.

MADELEINE (*cherche*). — Ma petite fille ?...
Ma fille ?...

JEUNE FEMME. — Oui, peut-être.

MADELEINE (*cherche*). — C'est bien ça ?

JEUNE FEMME. — Oui. C'est bien ça.

*Temps. Silence.
Madeleine ferme les yeux et caresse la tête de la Jeune Femme
comme une aveugle le ferait. La
Jeune Femme se laisse faire. Et
puis Madeleine lâche cette tête,
ses mains retombent, désespérées.*

MADELEINE (*temps*). — Je voudrais qu'on
me laisse tranquille.

JEUNE FEMME. — Non.

*La Jeune Femme prend les mains
de Madeleine et les pose sur sa
propre tête pour qu'elle continue
à caresser « la troisième absente ».
Les mains de Madeleine retombent
encore désespérées. La Jeune
Femme abandonne. Mains inertes
des deux femmes.*

JEUNE FEMME. — Vous vous ennuyez ?

MADELEINE. — Non.

JEUNE FEMME. — Jamais ?

MADELEINE (*simple*). — Jamais.

*Silence. La Jeune Femme chan-
tonne « Les Mots d'Amour ». On
dirait que Madeleine cherche d'où
vient le son. Arrêt du chant.
Puis la Jeune Femme commence
à chanter la chanson de façon ralentie tout en prononçant les paroles de façon très intelligible.*

JEUNE FEMME (*chanté*) :
C'est fou c'que j'peux t'aimer.
C'que j'peux t'aimer des fois
Des fois j'voudrais crier...

MADELEINE (*regarde la Jeune Femme comme une élève le ferait et répète lentement, sans ponctuation précise, comme sous dictée*) :

> C'est fou c'que j'peux t'aimer
> C'que j'peux t'aimer des fois

> (*Temps*)

> Des fois j'voudrais crier...

JEUNE FEMME. — Oui. (*Silence*).
(*Chanté — ralentissement du chant*) :
> Car j'n'ai jamais aimé
> Jamais aimé comme ça
> Ça je peux te l'jurer...

MADELEINE (*de plus en plus attentive*) :
> Car j'n'ai jamais aimé
> Jamais aimé comme ça
> Ça je peux te l'jurer...

> *Temps.*

JEUNE FEMME. — C'est ça.

> *Temps. La Jeune Femme se tait un instant et puis elle recommence à chanter.*

JEUNE FEMME (*chanté*) :
>   Si jamais tu partais
>   Partais et me quittais
>   Je crois que j'en mourrais
>   Que j'en mourrais d'amour
>   Mon amour, mon amour...

Silence.

MADELEINE (*fixe, stupéfiée par la violence des paroles*). — Non.

Silence.

JEUNE FEMME (*sur le même ton*) :
>   Que j'en mourrais d'amour
>   Mon amour, mon amour.

MADELEINE. — Non.

Silence. La Jeune Femme se tait. C'est Madeleine qui, comme contrite, reprend.

MADELEINE. — Mon amour, mon amour...

JEUNE FEMME (*corrige avec une immense douceur*) :

Que j'en mourrais d'amour
Mon amour, mon amour.

MADELEINE (*répète, docile*) :
Que j'en mourrais d'amour
Mon amour, mon amour.

*La Jeune Femme attend et puis,
très lentement, elle chante la chanson et Madeleine redit les mots.
Toutes les deux sont face au public. Les deux dernières phrases de
la chanson restent oubliées de Madeleine qui les écoute avec une très
grande intensité lorsque la Jeune
Femme les chante, mais qui ne les
répète pas.*

JEUNE FEMME :
C'est sûr que j'en mourrais
Que j'en mourrais d'amour
Mon amour, mon amour...

*La Jeune Femme se tourne vers
Madeleine encore une fois stupéfiée, comme si ces paroles lui
étaient adressées.*
Temps.

Puis la jeune femme psalmodie le chant à une très grande lenteur tandis que Madeleine, dans un effort de mémoire, dit les paroles de façon très indécise, ralentie, non rythmée.

MADELEINE :

C'est fou c'qu'il me disait
Comme jolis mots d'amour
Et comme il m'les disait...
Mais il ne s'est pas tué
Car malgré son amour
C'est lui qui m'a quittée...
Sans dire un mot
Pourtant des mots
Y en avait tant...

(Elle tarde, répète deux fois les paroles, comme si elle était frappée de mémoire tout à coup. La Jeune Femme l'attend).

Y en avait trop...

Le refrain est repris par la Jeune Femme et Madeleine l'écoute, toujours avec passion. La Jeune Fem-

me ne prononce plus toutes les pa-
roles.

JEUNE FEMME (*teneur musicale de la chan-*
son).

C'est fou ce que j'peux t'aimer...
La la la la la ... Mon amour, mon
amour...

Madeleine acquiesce au chant
comme si la Jeune Femme disait
les paroles : « oui, » « c'est ça ».
Le chant se termine.
Madeleine est comme hantée par
une mémoire lézardée à partir du
chant. Le silence s'installe entre
les deux femmes.
Madeleine reste dans cette sorte
d'égarement provoqué par la chan-
son. Et la Jeune Femme dans une
attention profonde de Madeleine,
la guettant pour ainsi dire non
seulement en raison de son lien à
elle mais aussi en raison de la pas-
sion de connaissance dans laquelle
elle la tient. Elles ne se regardent
pas. Se parlent cependant.

JEUNE FEMME (*ton très réfléchi*). — C'est vous que j'aime le plus au monde : (*Temps*). Plus que tout. (*Temps*). Plus que tout ce que j'ai vu. (*Temps*). Plus que tout ce que j'ai lu. (*Temps*). Plus que tout ce que j'ai. (*Temps*). Plus que tout.

MADELEINE (*égarée, presque épouvantée*). — Moi... ?

JEUNE FEMME. — Oui.

MADELEINE. — Ah.

Silence.
Madeleine fronce les sourcils, méfiante comme à l'approche d'un danger. Elle essaie de comprendre, elle n'y parvient pas, elle devient presque comique de ce fait qu'elle ne comprend pas.

MADELEINE (*voix basse*). — Pourquoi me dire ça aujourd'hui...

JEUNE FEMME (*temps, prudence*). — Qu'est-ce qu'il y a aujourd'hui ?

Madeleine regarde ailleurs comme confuse.

MADELEINE. — J'avais décidé de demander qu'on ne vienne plus me voir autant...
enfin... un peu moins...

Pas de réponse de la Jeune Femme.

MADELEINE (*sourire d'excuse*). — Je voudrais être seule ici. (*Elle montre autour
d'elle.*) Seule. (*Violence soudaine, elle
crie*). Que personne ne vienne plus.

JEUNE FEMME (*douceur*). — Oui.

MADELEINE (*revirement total, fausse
plainte, amour*). — Mais toi... qu'est-ce
que tu deviendras sans moi ?...

Pas de réponse de la Jeune Femme.

MADELEINE (*ferme les yeux, dans l'amour*).
— Mon enfant... mon enfant... ma beauté... ça ne voulait plus manger... ça ne
voulait plus vivre... c'était sage... ça ne
voulait rien... rien...

*La Jeune Femme, dirait-on, ne
veut pas avoir entendu. Madeleine
a parlé loin d'elle dans le temps.
Silence.*

JEUNE FEMME (*chante comme en réponse deux ou trois phrases de la chanson*) :
C'est fou c'que j'peux t'aimer
C'que j'peux t'aimer des fois
Des fois j'voudrais crier...

Arrêt de la Jeune Femme. Elle regarde Madeleine.

MADELEINE. — Je ne mourrai pas. (*Temps*). Tu le sais ?

JEUNE FEMME (*mouvement de la tête, elle sait*). — Oui.

MADELEINE. — Si moi je mourrais, tout le monde mourrait, alors... ça n'existe pas...

JEUNE FEMME. — C'est vrai.

MADELEINE. — Ce ne serait pas possible que tout le monde... tout le monde...

Silence. Et puis égarement.

JEUNE FEMME. — Non, ce ne serait pas possible.

MADELEINE. — Non.

Temps.

JEUNE FEMME (*la regarde, éperdue*). — Votre voix est devenue indécise, assourdie.

MADELEINE. — Ça arrive, ça arrive, je l'entends.

JEUNE FEMME (*douceur*). — Vous ne comprenez plus que très peu de ce qu'on vous dit.

MADELEINE. — Oui, très peu de ce qu'on dit. (*Temps*). Quelquefois rien.

JEUNE FEMME (*lent*). — Vous êtes effrayante...

MADELEINE. — Effrayante...

JEUNE FEMME. — Oui.

MADELEINE. — Sans doute. Je n'ai plus peur de la mort. (*Temps*). Cela doit faire une différence.

Silence.

JEUNE FEMME (*douceur*). — Un certain jour, un certain soir, je vous laisserai pour toujours (*elle montre la salle*). Je fermerai la porte, là (*geste*), et ce sera fini. Je vous

23

embrasserai les mains. Je fermerai la
porte. Ce sera fini.

*Silence. La Jeune Femme le fait,
elle embrasse les mains de Madeleine qui se laisse faire. La Jeune
Femme cesse d'embrasser Madeleine, elle la regarde.*

MADELEINE (*effroi*). — Quelqu'un viendra
chaque soir pour voir... Et pour allumer
les lampes... ?

JEUNE FEMME. — Oui. (*Temps*). Et un
jour il n'y aura plus de lumière. Ce ne sera
plus la peine qu'il y ait de la lumière.

Silence.

MADELEINE. — Oui. c'est ça. On écoutera.
La respiration aura cessé.

*Silence. Madeleine regarde la
Jeune Femme.*

MADELEINE. — Et toi, où seras-tu ?

JEUNE FEMME. — Partie. Différente pour
toujours. Mondaine. Pour toujours sans
vous.

24

*La peur traverse la scène. Made-
leine regarde autour d'elle le vide
futur laissé par la Jeune Femme.*

MADEINE (*temps*). — Oui. (*Temps*). La
mort arrivera du dehors de moi.

JEUNE FEMME. — De très loin. (*Temps*).
Vous ne saurez pas quand.

MADELEINE. — Non, je ne saurai pas.

JEUNE FEMME. — Elle est partie depuis le
commencement du monde en prévision
de vous seule.

MADELEINE. — Oui. Inscrite dès la naissance, avant la naissance.

JEUNE FEMME. — Oui.

Temps.

MADELEINE. — Comment sais-tu ces
choses-là ?

JEUNE FEMME. — Je vous vois. Je sais.

*Silence. Regard intense de la Jeune
Femme sur Madeleine.*

JEUNE FEMME. — Vous pensez tout le temps, tout le temps.

MADELEINE (*d'évidence*). — Oui.

JEUNE FEMME (*violente*). — A quoi ? Vous pouvez le dire une fois ?

MADELEINE (*également violente*). — Eh bien vas-y voir toi-même pour savoir à quoi on pense.

Silence. La douceur revient.

JEUNE FEMME. — Ça arrive à la vitesse de la lumière. Ça disparaît à la vitesse de la lumière. Les mots n'ont plus le temps de venir.

MADELEINE. — Non, plus le temps.

JEUNE FEMME. — Et à n'importe quel moment, impossible de le prévoir.

MADELEINE. — Impossible, autant prévoir la mort.

Silence. La Jeune Femme remet sa tête sur les genoux de Madeleine. La douceur revient. Et la douleur.

Silence.
Peut-être le chant au loin, peut-être seulement l'air du chant.
Fin du chant. Silence. Avec ce silence la deuxième période de la pièce commence.

JEUNE FEMME. — On va essayer ta robe à fleurs ?

MADELEINE. — Oui... oui... c'est une idée...

> *La Jeune Femme se relève lentement des genoux de Madeleine. Madeleine se lève à son tour. Elle est comme un peu ennuyée par l'effort de l'essayage mais elle se laisse faire. La Jeune Femme lui enlève sa robe de scène et lui passe la robe fleurie (qui était là, sur la chaise étalée). Madeleine, une fois la robe fleurie passée, se tourne vers un miroir imaginaire et se regarde. Elle entre ainsi brusquement dans une zone de lumière violente reflétée dirait-on par un miroir. On ne voit pas ce miroir. Un*

projecteur en dirige le reflet sur le corps de Madeleine mais on ne verra jamais ce miroir. Dans la lumière, Madeleine se regarde. La Jeune Femme arrive, entre dans le reflet et regarde aussi le corps reflété de Madeleine dans la direction du miroir. Regards dans la même direction.

Silence. Il y a ainsi dans la pièce de longs moments d'un silence qu'on pourrait dire « distrait » pendant lequel les deux femmes seraient à l'affût du sens de ce qui est en cours sur la scène, cela innocemment, sans du tout l'avoir décidé. Pendant ces silences, d'autres gens passeront derrière le rideau et leur rumeur alerteront Madeleine. — Encore la ribambelle de la parenté.

Temps. La Jeune Femme écoute.

JEUNE FEMME. — C'est Jean-Marie, il devait passer avec le petit Gilbert. Jacques lui aura dit que je ne suis pas là.

MADELEINE (*perdue*). — C'est bien... c'est bien...

Les gens sont passés. Silence de nouveau. Pendant ce silence, la Jeune Femme regarde Madeleine avec insistance.

JEUNE FEMME (*nette*). — Dis-moi...

MADELEINE (*comme le découvrant*). — Eh bien... j'étais... j'étais une comédienne. C'était ce que je faisais. Comédienne.

Silence. Puis voici les mots :

JEUNE FEMME. — Comédienne de théâtre.

MADELEINE. — Oui.

JEUNE FEMME. (*temps*). — Rien d'autre.

MADELEINE (*temps*). — Rien.

Silence.

JEUNE FEMME. — Redis-moi l'histoire.

MADELEINE (*calme*). — Encore.

JEUNE FEMME. — Oui.

MADELEINE. — Tous les jours tu veux cette histoire.

JEUNE FEMME. — Oui.

MADELEINE. — A force, tous les jours, je me trompe dans les dates... les gens... les endroits...

Rires de deux femmes.

JEUNE FEMME. — De plus en plus tu te trompes.

MADELEINE. — C'est aussi ce que tu veux ?

JEUNE FEMME (*rire*). — Oui. Rien ne me plaît que toi.

La Jeune Femme rit. Madeleine aussi. Elles rient toutes les deux sans un mot, longuement. Madeleine rit avec un certain émoi, elle n'est pas sûre de rire à ce qu'il faut, elle est un peu incertaine, tandis que la Jeune Femme rit de tout son cœur. Le rire s'éteint. Silence.
Madeleine se rassied.
La Jeune Femme s'allonge aux pieds de Madeleine, elle ferme les yeux. Il s'agit d'un rituel coutu-

*mier à elles deux qui a trait à un
événement essentiel de leur vie
passée. Cet événement, Madeleine
l'aurait connu. La Jeune Femme,
non. Il est probable que la naissance de la Jeune Femme coïn-
cide de façon tragique avec cet
événement, mais nous ne pouvons
pas l'affirmer. Ici rien n'est sûr,
tout repose sur le délabrement de
la mémoire de Madeleine, sur ce
lieu inabordable, insondable, d'un
passé commun à la Jeune Femme
et à Madeleine. L'une est trop
jeune pour se souvenir, l'autre trop
âgée pour départager ce passé de
sa représentation. La Jeune Femme
se fie au vertige de Madeleine.
C'est sur la mémoire défaillante de
Madeleine qu'elle bâtit celle de son
enfance, celle de sa naissance.
Le théâtre commence, lointain, dou-
loureux.*

JEUNE FEMME. — C'était une grande
pierre blanche ?...

MADELEINE. — Oui, c'est ça, une grande
pierre blanche... On ne peut pas en parler.

31

Lenteur.

JEUNE FEMME. — C'était l'été.

MADELEINE. — C'était l'été au bord de la mer.

JEUNE FEMME. — Tu n'es plus sûre de rien.

MADELEINE. — Je ne suis sûre que de presque rien. (*Temps*). La pierre blanche, j'en suis sûre.

Silence.

MADELEINE (*crie*). — Laisse-moi tranquille...

JEUNE FEMME. — Je t'en supplie.

MADELEINE (*crie*). — Non...

Silence. Puis Madeleine parle de la légende, relayée par la Jeune Femme.

MADELEINE.— Ils s'étaient connus là, à cet endroit-là, de cette grande forme plate, cette pierre blanche au milieu de la mer...

JEUNE FEMME (*redit les récits de Made-*

leine). — ... à fleur d'eau, la pierre, la houle la recouvrait d'eau fraîche puis le soleil revenait et en quelques secondes la rendait infernale, de nouveau brûlante, c'était l'été. Elle était très très jeune, à peine sortie du collège. Elle nageait loin. On ne savait jamais. Jamais. On ne savait jamais si elle reviendrait. Il y avait des moments... on aurait pu croire que non... pendant quelques minutes... qu'elle ne reviendrait jamais. (*Temps*). Elle revenait. (*Temps*). Ils s'étaient connus là. Il l'avait vue allongée, souriante, régulièrement recouverte par les eaux de la houle... et puis il l'avait vue se jeter dans la mer et s'éloigner... (*Temps*). Elle a troué la mer de son corps et elle a disparu dans le trou d'eau. La mer s'est refermée. A perte de vue on n'a plus rien vu que la surface nue de la mer, elle était devenue introuvable, inventée. Alors tout à coup il s'est dressé sur la pierre blanche. Il a appelé. Un cri. Pas le nom. Un cri. (*Temps*). Et à ce cri, elle est revenue. Du fond de l'horizon un point qui se déplace, elle. (*Temps*). C'est quand il l'a vue revenir... il a souri... elle a souri, et ce sourire...

MADELEINE (*égarée*). — ... ce sourire, ce sourire-là... aurait pu faire croire que... une fois... pendant un moment même très court... comme si c'était possible... qu'on aurait pu aimer.

> *Silence.*
> *Madeleine s'arrête, interdite, comme si elle avait entendu ce qu'elle venait de dire comme dit par une autre.*
> *La Jeune Femme de même a écouté le récit. La Jeune Femme baisse la tête dans une grande émotion qu'elle essaie de dissimuler.*
> *Silence.*

MADELEINE (*timide*). — Je me suis trompée ?

JEUNE FEMME (*douceur, geste : c'est égal*). — C'est égal.

MADELEINE. — Je crois que c'était à Montpellier en 1930-1935. Théâtre de la ville. L'auteur était inconnu. Français, je crois.

> *Silence. La Jeune Femme attend, refuse le souvenir proposé.*

JEUNE FEMME. — Non.

MADELEINE. — Ah. Eh bien, dans ce cas, ça devait être ce monsieur-là, ce grand-père, tu sais, quand on était fiancés...

JEUNE FEMME. — Tu le crois...

MADELEINE (*dubitative*). — Alors c'était cet ami ?

JEUNE FEMME. — Non. L'ami, c'était avant. Ce n'était pas mon grand-père non plus.

MADELEINE (*temps*). — Ah. (*Temps*). C'est possible, remarque... avec tous ces textes... apprendre par cœur tout et tout... tellement...

JEUNE FEMME (*voix basse presque inaudible*). — Oui. (*Temps*). Tu te souviens ?

MADELEINE. — De tout. Oui... complètement. De tout (*geste*). De tout... mais de quoi ?... ça... (*geste : je ne sais plus*).

JEUNE FEMME. — Ce n'était peut-être pas toi... non plus.

MADELEINE. — Je me serais trompée de personne alors...

JEUNE FEMME. — Oui.

MADELEINE. — Oui.

JEUNE FEMME. — Ce n'était pas dans un théâtre.

MADELEINE. — Si. C'était aussi dans un théâtre puisque pendant ces années-là et les années qui ont suivi j'étais tous les soirs sur les scènes de théâtre. (*Temps*). On aurait pu croire que je jouais différentes choses, mais en fait, je ne jouais que ça, à travers tout je jouais l'histoire de la Pierre Blanche. J'y suis toujours arrivée.

JEUNE FEMME. — Oui.

MADELEINE. — Tu comprends un peu ?

JEUNE FEMME. — Oui. (*Temps*). Tu fais exprès cette comédie ?

MADELEINE. — Oui.

JEUNE FEMME. — Tu mens.

MADELEINE. — Non.

JEUNE FEMME. — Mon amour, mon trésor adoré.

36

MADELEINE. — Oui.

Silence. Madeleine baisse les yeux, elle se tait. Elle est à la fois vraie et fausse, alarmée et calme. Elle parle.

MADELEINE. — Je me souviens de quelque chose... si... si... mais c'est caché. Je ne sais plus de quoi je me souviens, ni de qui c'était, ni quand, mais c'est là... (*elle désigne sa tête*).

Silence prolongé. Puis le conte commence.

JEUNE FEMME. — Une grande pierre blanche...

MADELEINE. — Oui. C'est ça, une grande pierre blanche. On ne peut pas en parler.

Temps.

JEUNE FEMME. — On peut parler d'autre chose.

MADELEINE. — Oui. On peut parler d'autre chose. De quoi ?

JEUNE FEMME. — Je ne sais pas de quoi. Parle-moi d'autre chose.

MADELEINE. — Oui.

Silence. Elles se regardent.

JEUNE FEMME. — Je ne te laisserai jamais.

La Jeune Femme enlace Madeleine. Alors, dans ses bras, Madeleine parle, invente soi-disant. La Jeune Femme la serre contre elle pour l'empêcher de souffrir, comme on fait parfois des enfants effrayés. Madeleine parle.

MADELEINE (*très lent et en même temps chaotique*). — On ne savait jamais... Personne, personne ne savait jamais... On n'était jamais tout à fait sûr... On ne pouvait jamais tout à fait croire qu'elle consentirait à vivre encore... Qu'elle nous donnerait à la voir encore... A l'entendre encore... A attendre encore qu'elle veuille bien revenir une fois encore de la mer...

JEUNE FEMME. — Cela depuis l'enfance. (*Temps*). On dit : depuis la petite enfance elle n'avait jamais changé.

MADELEINE. — Jamais.

> *Temps long. Reprise du souffle de l'histoire. La Jeune Femme lâche Madeleine, elle s'éloigne d'elle, elle la quitte. A son tour elle va parler. Pendant tout le récit de la Jeune Femme, Madeleine ne baisse pas les yeux. Elle restera ainsi, figée, décidée à ne laisser voir aucun signe de douleur.*
>
> *On ne devrait plus savoir ici où est la comédie. A croire qu'elle est seulement en entier dans le « jeu » des deux femmes, mais qu'elle est complètement exclue de l'amour très fort qui les lie l'une à l'autre à travers la troisième, absente, sans doute morte, sans doute étant celle de la Pierre Blanche — celle des enfants de Madeleine qui est la mère de la Jeune Femme. **

JEUNE FEMME. — Que dit l'histoire ?

MADELEINE. — Que lorsqu'elle riait on

---

* J'adhère personnellement à cette proposition-là.

aurait pu croire qu'elle était là, qu'elle le serait encore et encore.

JEUNE FEMME. — Mais certains disent que la mort se pressentait déjà dans ce rire léger, facile, qui inondait l'espace, l'envahissait comme de l'air. (*Temps*). Tout le monde n'est pas d'accord.

Silence.

MADELEINE. — Elle était en maillot noir, très mince.

JEUNE FEMME. — Très blonde ?

MADELEINE. — Je ne sais plus, la couleur des yeux non plus.

JEUNE FEMME. — Il hurlait qu'il voulait revoir cette jeune fille en maillot noir.

MADELEINE. — Oui.

Silence.

JEUNE FEMME. — Elle est revenue avec une certaine peine, trop mince pour l'eau épaisse, la figure tendue vers lui, elle lui a souri d'un sourire exténué et suppliant — d'une supplication qui devait annoncer l'histoire. Il lui a souri en retour et ce sourire qu'ils ont eu l'un pour l'autre aurait pu faire croire qu'ils pouvaient, eux, ces deux-là, même pendant un moment aussi court que celui-là, vous voyez, que ces deux-là auraient pu, oui, comme si c'était possible, qu'ils auraient pu mourir d'aimer.

Silence.

MADELEINE. — C'était un jour très chaud. C'était la canicule. Je me souviens, le théâtre était plein. Je ne sais plus quand, ni où. C'était dans une grande capitale. J'étais au comble du triomphe. On ne pouvait pas représenter la mer. Alors je racontais l'histoire, comme elle était bleue, lourde.

Silence.

JEUNE FEMME. — Ce n'était pas tout à fait la même histoire ?

MADELEINE. — Pas tout à fait. La mer était aussi bleue. Mais la pierre blanche n'existait pas. C'était une terrasse bâtie au bord de l'eau.

41

Temps.

JEUNE FEMME. — Vous disiez... elle lui a souri d'un sourire exténué...

MADELEINE. — Oui.

JEUNE FEMME. — Et lui souriait de même ?

MADELEINE. — De même oui, à elle et à moi. Entre elle et lui, entre lui et moi il y avait cet espace de la mer lourde qui portait les corps, très profonde et très bleue.

JEUNE FEMME. — Alors ensuite, lui avançait jusqu'au bord de l'eau, les bras tendus vers vous.

MADELEINE. — Oui. La peau lui brûlait, lui craquait quand il la tirait par les mains, quand il la sortait de la mer. Puis les baisers... les baisers...

JEUNE FEMME. — Les baisers alors qu'il ne la connaissait pas, qu'il ignorait son nom...

MADELEINE. — Au théâtre, le nom était différent. Par décence, je crois, ou bien ça s'est trouvé comme ça, les noms étaient différents.

La Jeune Femme se tait. Elles ne se parlent pas.
La Jeune Femme revient vers Madeleine, elle lui tire la robe à fleurs vers le bas, fait comme une habilleuse de théâtre. Madeleine a fermé les yeux sur les « baisers » et puis elle se regarde dans la glace. Leurs regards se rejoignent. Elles se parlent ainsi rejointes dans le reflet du miroir.

MADELEINE. — Ça ne peut pas arriver deux fois, ces instants-là.

JEUNE FEMME. — Si.

MADELEINE. — Ah.

La Jeune Femme regarde la robe, s'éloigne, sort de la zone de lumière. Madeleine tourne sur elle-même lentement comme à un essayage de couture.
Silence. Sur le mouvement de Madeleine, la Jeune Femme parle.

JEUNE FEMME. — Il serait revenu par le chemin le long du fleuve, vers midi, quand la chaleur est la plus forte. Et il l'aurait vue dès l'embouchure du fleuve en découvrant la mer, à l'endroit blanc de la pierre, il aurait vu sur le blanc de la pierre cette petite forme cernée de noir que recouvrait régulièrement le mouvement de la houle.

MADELEINE. — Il serait arrivé près d'elle, elle l'aurait vu à la dernière minute lorsqu'il se serait hissé sur la pierre. Il l'aurait regardée longtemps et puis il aurait dit son étonnement de la voir là, à cet endroit du monde, sur cette pierre blanche, si loin.

JEUNE FEMME (*lenteur*). — Il aurait dit certains mots qu'elle devait attendre depuis déjà quelques années.

MADELEINE. — Peut-être depuis l'enfance, sans savoir lesquels. Ils auraient quitté la pierre blanche ensemble, lentement, il lui aurait parlé d'elle.

> *Elles parlent comme d'autres gens,*
> *comme les amants auraient parlé.*

MADELEINE (*temps*). — « Vous n'êtes pas trop fatiguée ? »

JEUNE FEMME. — « Vous nagez si loin.

44

(*Temps*). Ce matin par exemple. »
« Faites attention au soleil, ici il est terrible, vous n'avez pas l'air de le savoir. »
Elle dit : « J'ai l'habitude de la mer. » Il dit : « Non. Ce n'est jamais possible. »
Elle dit que c'est vrai. (*Temps*). Il dit :
« Ce n'est pas que vous soyez belle. Je ne sais pas vous regarder. (*Temps*). Il s'agit d'autre chose de plus mystérieux, de plus terrible, je ne sais pas de quoi il s'agit. »

MADELEINE. — Elle aurait souri de ce rire clair et fou, fou d'enfance. Elle aurait dit :
« Je ne sais pas de quoi il s'agit, je ne sais pas de quoi vous parlez, je n'ai jamais été aussi près d'un homme. J'ai seize ans. »

JEUNE FEMME. — Il aurait fermé les yeux pour ne plus la voir, il aurait nagé vite pour la perdre. Et puis il serait revenu :
« Je suis revenu. » Alors elle lui aurait dit :
« Si vous voulez je peux me prêter à vous. Si cela vous plaît, je le ferais. Je suis en âge de le faire et ici, regardez, il n'y a personne pour voir, nous sommes arrivés à l'embouchure du fleuve de la Magra. »

Elles parlent en lieu et place d'autres gens, sans se regarder, dans

45

*une retenue, une pudeur telle qu'il
en est comme si elles étaient deve-
nues étrangères l'une à l'autre.*

MADELEINE. — Il lui aurait demandé pourquoi elle désirait lui plaire. Elle aurait dit
que c'était une façon de parler...

JEUNE FEMME. — ... qu'elle ne savait rien
encore de ce qu'elle lui proposait, donc
qu'elle avait parlé au hasard.

Temps.

MADELEINE. — Il aurait dit qu'il acceptait
qu'elle se prête à lui. (*Temps*). Il aurait dit
qu'il avait peur.

JEUNE FEMME. — Il lui aurait demandé
qu'elle lui dise, elle, de quoi lui il avait
peur. Elle aurait dit qu'elle retenait en
elle depuis toujours comme un drôle de
désir, celui de mourir. Elle aurait ajouté
en riant qu'elle disait ce mot-là faute d'un
autre mot, mais que peut-être lui, il avait
deviné ce désir-là à travers la maladresse
de sa demande. Et que c'était peut-être
pourquoi il avait peur.

MADELEINE. — Il lui aurait demandé si elle l'avait choisi parce qu'il avait eu peur. Elle aurait dit : « Sans doute, oui, à cause de ça, mais je ne suis pas sûre, puisque je ne connais rien de ce dont je parle, je ne peux pas connaître non plus la nature de cette peur. »

JEUNE FEMME. — Il aurait dit : « Mais vous en parlez cependant. » Elle aurait souri encore. Elle aurait dit : « Oui, je parle de cette peur, mais ce n'est pas pour autant que je la connaisse, que je puisse dire l'inconnu que contient cette peur, surtout si j'en suis cause. Cette difficulté fait partie de cette drôle de raison dont je vous ai parlé. »

Silence.

JEUNE FEMME. — Ils seraient arrivés vers les grands marécages de la Magra. Ici, le vent de la mer tombait, repoussé par celui du fleuve. Son parfum s'évanouissait dans la fadeur des terres douces déposées par ce fleuve. Terres de la campagne, épaisses, bouillie d'humus, brûlante, où s'éteignait tout mouvement. Il y avait des joncs et il

47

y avait des nids d'oiseaux de mer. Il lui dit qu'il ne connaissait pas l'endroit. Elle lui dit : « C'est ici que je n'ai plus peur de mourir. »

MADELEINE. — Elle lui dit : « C'est là que j'ai toujours voulu venir. » (*Temps*). Il ne répond pas.

JEUNE FEMME. — Non.

> *Silence.*
> *Fin du couplet de Piaf au loin.*
> *Elles écoutent comme le font les spectateurs.*
> *Silence.*
> *Puis Madeleine tourne sur elle-même dans la lumière reflétée de la glace. Elle montre sa robe.*

JEUNE FEMME. — Elle vous va très bien.

MADELEINE (*toute à son idée*). — Puisque ça peut ne jamais arriver... Ça ne peut pas arriver deux fois...

JEUNE FEMME. — Si.

MADELEINE. — Ah. (*Temps*). Je vois que ce n'est pas la peine d'insister...

La Jeune Femme continue à parler de la robe.

JEUNE FEMME. — La longueur est bonne.

MADELEINE (*temps*). — Pourquoi tu me fais une robe ?

Dans un mouvement continu, Madeleine fait un deuxième tour en silence et puis elle s'arrête.

JEUNE FEMME. — Je te fais tout le temps des robes.

MADELEINE. — C'est vrai. (*Temps*). Mais pas aussi fleuries...

La Jeune Femme embrasse Madeleine.

JEUNE FEMME (*tendresse infinie*). — Ma petite fille... ma fille... ma petite poupée... mon trésor... ma chérie... mon amour... ma petite, ma petite.

Madeleine reconnaît ces mots, heureuse. Madeleine recommence à tourner à petits pas pour mon-

trer sa robe et elle parle. Elle parle, relayée par la Jeune Femme, redit ce récit qui porte sur les origines parentales, incontrôlables et mystérieuses de leur amour.

MADELEINE. — C'est vrai, c'étaient des jours chauds. Très clairs. Très très clairs. Le souvenir en est là comme d'aujourd'hui. La pierre blanche est baignée par la houle quand les barques passent, c'est plein d'estivants, plein de lumière. Et lui il ne voit que cette petite forme adolescente qui avance vers la pierre. (*Temps*). Du temps a passé. Elle a dix-sept ans.

JEUNE FEMME. — Entre elle et lui il y a encore la mer : écrasée, plate comme la pierre, sublime, désertée par la vie. Elle, elle ne fait aucun effort, la mer la porte, elle avance vers lui.

MADELEINE. — Dix-sept ans. Un enfant de lui. Un enfant au-dedans du corps, scellé. Elle nage avec l'enfant au-dessus des profondeurs terribles de l'eau bleue. Lui se tient au bord de cette profondeur de leurs corps sur la plate-forme blanche désertée par la vie et il leur sourit, les bras tendus vers elle comme le premier jour. Il a peur.

JEUNE FEMME. — Cette fois il crie son nom. Il a peur, toujours peur. Il crie le nom de cette femme définitivement devenue étrangère à tout autre que lui. Et il la tire hors de l'eau. Elle rit, elle crie que sa peau brûle, qu'elle se brûle à sa peau à lui, et lui qui la tire par les bras, une anguille, et elle cède et elle s'allonge sur la pierre, sur la matière minérale et elle pose son corps et son cœur et toute sa peau sur la pierre brûlante, blanche comme le nom. Et lui, il lui enlève son maillot mouillé. Elle qui est nue. Elle, elle qui est nue, et lui qui la couvre de baisers, de baisers, de baisers, partout sur le corps, sur le ventre, le cœur, les yeux. (*Temps*). Dans le ventre l'enfant se débat.

JEUNE FEMME. — Dans le ventre l'enfant ignore.

MADELEINE. — Oui.

JEUNE FEMME. — Quelqu'un pleure parce qu'ils vont mourir de s'aimer.

MADELEINE. — L'enfant vivra.

*Fin du récit. Madeleine se tait. La
Jeune Femme aussi.
Temps long — ne pas hésiter sur
la longueur de ce temps.
Elles sont figées dans l' « imagi-
naire » de la scène racontée. Et
puis petit à petit elles bougent. Madeleine se remet à tourner sur elle-
même, plus lentement. La Jeune
Femme se tourne vers elle. Elles
parlent de la robe.*

MADELEINE (*sourit*). — Oui. (*Temps*).
Cette robe-là est pour les anniversaires.

JEUNE FEMME. — L'anniversaire de cha-
cun des jours de votre vie.

MADELEINE. — Oui. Voilà.

Lenteur, lourde lenteur.

JEUNE FEMME (*interdite, grave*) . — Est-ce
qu'un jour il ne s'est rien passé ?

MADELEINE (*dans un délire précis et infini*)
— Oui. (*Temps*). Un jour il a plu et il a
fait gris.

52

JEUNE FEMME. — Tout le jour.

MADELEINE. — Oui. C'était l'été. C'était au bord de la mer.

JEUNE FEMME. — Le ciel était gris, l'air, les arbres ? La nuit était venue très vite ?

MADELEINE. — Oui.

JEUNE FEMME. — Personne ne parlait ? (*Temps*). On a allumé les lampes ?

MADELEINE. — Oui.

JEUNE FEMME. — Qui était mort ?

MADELEINE (*temps*). — Je ne sais plus. Disons : je ne sais plus qui. (*Sourire*). Disons que cette robe est pour l'anniversaire de cette mort-là.

JEUNE FEMME. — Oui.

> *Silence, Madeleine se regarde, désigne son cou. Cela devrait être effrayant.*

MADELEINE. — J'aurais bien aimé avoir un petit froncé au cou... là (*geste*).

JEUNE FEMME. — Plus clair que la robe, peut-être ?

MADELEINE (*théâtrale tout à coup, drôle*). — Oui, dans le blanc du blanc jaune des fleurs de la robe... voilà... mais si ça représente trop de temps, vous savez, Madame la couturière, je m'en passerai... c'est un petit peu pour faire l'intéressante, vous voyez, excusez-moi, Madame la couturière, que je vous demande ce petit froncé parce que... à vrai dire...

> *Sourires des deux femmes au fond de la douleur.*

JEUNE FEMME. — Remarquez, ce n'est rien pour moi de vous mettre un petit froncé au col, Madame, ça ne me dérange en rien, en rien, ce serait même plutôt le contraire, le fait que vous ne soyez pas complètement d'accord avec moi mais que dans le même temps vous me jugiez capable de corriger ce désaccord et de satisfaire votre désir de ce froncé autour du cou me comble de joie... au contraire de me déranger... Madame, croyez-moi, je vous demande de me croire, j'en suis heureuse...

*Silence. La Jeune Femme s'im-
mobilise tout à coup. Désir violent
d'appréhender l'inconnaissable du
passé à travers la vie de Madeleine, à travers des textes consa-
crés. Echec. Voix différentes, encore souffrantes. Echec. Et puis
brusquement, pleurs. Elles cachent
leurs visages dans leurs mains,
pleurent sans un mot. Et puis
elles s'enlacent, défaites, restent
ainsi enlacées. Et puis se séparent.
Et puis regardent. Se retrouvent.
Silence. La troisième période de la
pièce est atteinte.*

JEUNE FEMME. — Qui était mort, ce jour
gris ?

MADELEINE (*mensonge*). — Je ne sais plus.

JEUNE FEMME. — Une jeune femme de
France ou d'Allemagne centrale ?

MADELEINE. — Peut-être...

JEUNE FEMME (*temps, voix murmurée*). —
Très jeune ?

MADELEINE. — Pourquoi pas. Entre toutes
les autres, pourquoi pas ?

JEUNE FEMME (*voix murmurée*). — Pourquoi pas ?

MADELEINE. — Oui. Parmi les autres, elle.

JEUNE FEMME. — J'ai vu les photos, oui. Elle, si personnelle, irremplaçable, elle. (*Crié :*) Elle.

MADELEINE. — Pourquoi pas ?

JEUNE FEMME. — Oui. (*Temps*). Tu m'as toujours parlé d'un certain jour sans soleil. Des volets qu'on avait fermés ce jour-là de cette mort. Des marécages de la Magra. Des bois autour de la maison. D'un homme qui avait appelé durant trois nuits, trois jours.

Silence de Madeleine.

JEUNE FEMME. — J'ai vu une photo des vacances. Il y avait une jeune femme.

MADELEINE. — Il y avait toujours des jeunes femmes sur les photos de vacances.

Silence.

JEUNE FEMME. — Je me suis reconnue sur la photo de vacances... la jeune femme à droite d'un homme blond, grand, il lui tenait la main...

MADELEINE. — Tiens...

JEUNE FEMME. — Oui. La dernière fois il y avait encore une jeune femme sur les photos. (*Temps*). Mais différente. Une jeune femme différente. C'était une scène de théâtre.

MADELEINE. — Tout est possible. Là, c'était moi. La ressemblance est telle... la date ne compte pas.

> *Silence. La Jeune Femme ne répond pas. Elle est obstinée dans le refus de la mémoire proposée.*

JEUNE FEMME (*suppliante*). — Tu m'avais toujours parlé d'un certain jour très long, très gris. Des volets qu'on avait fermés. Des marécages, de ce fleuve. De ces bois autour de la maison. De cet homme qui appelait la morte.

> *Silence.*

MADELEINE. — C'est vrai, il y avait des grands marécages à l'embouchure de la Magra.

Silence.

JEUNE FEMME. — Et les cris aussi, c'était vrai ?

MADELEINE. — Comment savoir ? Mais je crois, oui, qu'on criait vers les étangs.

Silence. Moments très sombres.

JEUNE FEMME (*voix basse*). — On n'avait jamais vu un amour pareil ?

MADELEINE. — Jamais.

Silence.

JEUNE FEMME (*crie*). — Un amour comment ? Tu vas le dire...

MADELEINE (*la regarde*). — On ne peut pas le dire. On ne sait pas le dire.

JEUNE FEMME (*cri informe de désespoir*). Je t'en supplie...

MADELEINE (*lent*). — Un amour de tous les instants. (*Temps*). Sans passé. (*Temps*). Sans avenir. (*Temps*). Fixe. (*Temps*). Immuable.

JEUNE FEMME. — Le soleil chaque matin au sortir du noir, chaque soir, et eux, ils s'aimaient plus que tout au monde, d'un amour entier, mortel dans la monotonie du temps.

Pas de réponse de Madeleine.

JEUNE FEMME. — C'était ce que l'on disait ? Ensuite on l'a écrit dans un livre ?

MADELEINE. — Oui, dans un film aussi, je crois.

Silence.

JEUNE FEMME. — La petite fille était née...

MADELEINE (*nette*). — Oui. Juste avant. Là, la mémoire est claire, lumineuse. Du moins je crois que là, la mémoire est claire. Mais qui sait ? A moins que ce soit dans ce livre que je vous avais donné, ma toute petite, vous aviez quinze ans. Je ne sais plus.

JEUNE FEMME. — Non, arrêtez, je vous en supplie. (*Temps*). Reprenons : l'existence de la petite fille n'a pas empêché la mort.

MADELEINE. — Rien ne l'aurait empêchée. (*Temps*). Elle a quitté son lit d'accouchée pour aller vers les étangs. C'était la nuit, il pleuvait comme souvent dans cette région à la fin août.

> *Silence. La Jeune Femme enlace de nouveau Madeleine. Reste accrochée à elle.*

MADELEINE (*temps*). — Je voudrais partir.

JEUNE FEMME. — Non. Je vous en supplie, encore un moment...

MADELEINE (*temps*). — Je ne sais plus rien sur cette histoire-là.

JEUNE FEMME. — C'est égal.

> *Silence.*

JEUNE FEMME (*bas*). — C'était quoi ?

MADELEINE (*bas*). — Trop de bonheur... peut-être que l'enfant, c'était trop de bonheur.

> *Silence.*

JEUNE FEMME. — L'homme qui appelait la morte... vers les étangs...

MADELEINE. — Oui, c'est ça, c'était lui. (*Temps*). On n'est pas allé voir. (*Temps*). Quelqu'un avait laissé une porte ouverte dans l'office. (*Temps*). Il aurait pu revenir. (*Temps. Plainte*). Mais où était-ce donc ?... je ne sais plus.

JEUNE FEMME. — Il ne savait plus le chemin pour revenir à la maison.

MADELEINE. — Peut-être. Nous ne savions plus rien. On ne savait plus rien.

JEUNE FEMME. — On n'a jamais retrouvé son corps.

MADELEINE (*temps*). — Je ne sais plus bien.

JEUNE FEMME. — Qu'est-ce que tu sais encore ?

MADELEINE. — Qu'ils s'aimaient comme je n'avais jamais vu. (*Temps*). Qu'il ne faut pas souffrir.

JEUNE FEMME. — Rien ne fait contre cette souffrance.

MADELEINE (*temps*). — Je ne souffre plus, moi.

Silence. Madeleine se lève.
Puis changement brusque de Madeleine qui devient joyeuse.

MADELEINE (*nette tout à coup*). Eh bien, Madame, ce sera un petit froncé en organdi blanc cassé ou rien.

JEUNE FEMME. — C'est ça, Madame. Exactement. Comme vous avez raison. D'autant que ce n'est rien, ça va être fait ce soir même. (*Temps*). Ce sera prêt.

Silence.

MADELEINE. — Prêt pour le cas.

JEUNE FEMME. — Oui. Pour le cas où.

MADELEINE (*temps*). — Voilà, c'est vrai, c'est ce qu'il faut.

JEUNE FEMME. — Oui.

Madeleine enlève la robe à fleurs.
La Jeune Femme l'aide. Silence.
Puis Madeleine remet sa robe de

scène. Puis elle se sourient légère-
ment toutes les deux sans paroles.
Puis elles se calment. Repos.

JEUNE FEMME (*temps*). — Alors on n'a pas voulu vous écrire cette pièce ?

MADELEINE (*temps*). — On n'a jamais voulu. Non. Pour des raisons très ordinaires... Pour ne pas réveiller la douleur, tu vois. Et puis parce que je ne pouvais plus courir pour me jeter à son cou... courir pour m'en aller, que... (*Elle montre son corps, mime l'affaissement*)... Enfin, tu vois...

JEUNE FEMME. — On aurait entendu une chanson...

MADELEINE. — Oui, le disque, là, tu sais : « Mon amour, mon amour. »

JEUNE FEMME. — Oui.

Temps.

MADELEINE. — La pièce ne sera jamais écrite. Alors, autant mourir.

JEUNE FEMME. — Autant vivre de même.

MADELEINE. — Ce serait une idée aussi, ça.

Silence.

JEUNE FEMME (*temps*). — Ainsi, c'est une pièce de théâtre qui n'aura jamais été jouée ?

MADELEINE. — Jamais. (*Temps*). Mais il faut bien que je le dise une fois, presque jamais rien n'est joué au théâtre... tout est toujours comme si... comme si c'était possible...

JEUNE FEMME. — Oui...

MADELEINE. — De dire... (*simplicité sublime* :) « Madame, bonjour... ce temps qu'il fait aujourd'hui donnerait l'envie de mourir d'un excès de lumière... du bleu de ce ciel... d'un amour tout aussi bien... Bonjour... »

JEUNE FEMME. — « Bonjour, bonjour... »

Silence.

JEUNE FEMME. — Tu le rencontrais où ?

MADELEINE. — Je ne le rencontrais pas. Il était là lorsque j'arrivais.

JEUNE FEMME (*montre le théâtre autour d'elle*). — Dans un endroit comme celui-ci ?...

MADELEINE (*hésite*). — Mais ici c'est un théâtre.

JEUNE FEMME. — Dans un endroit sans murs, comme un théâtre, je voulais dire...

MADELEINE. — Oui, c'est ça.

Silence.

MADELEINE. — On va se reposer un peu.

JEUNE FEMME. — Oui.

> *La Jeune Femme se rassied aux pieds de Madeleine. Elles ferment les yeux toutes les deux pendant quelques secondes. Comme si pendant cet instant elles dormaient devant le public. Paix. Des gens passent derrière les rideaux. Rumeur habituelle, paisible. Madeleine et la Jeune Femme ferment toujours*

les yeux. Madeleine, les yeux fer-
més, montre les rideaux derrière
elle, toujours étonnée comme la
première fois.

MADELEINE. — Qui c'est ?

JEUNE FEMME. — Jacques, avec des amis.

MADELEINE. — Ah.

Le bruit derrière les rideaux de la
scène, la rumeur qui augmente, qui
s'éloigne et disparaît.

JEUNE FEMME. — Ils sont partis.

Immobilité des deux femmes, long-
temps. Puis la Jeune Femme chante
le refrain de la chanson, elle ne dit
que la moitié des paroles.

JEUNE FEMME :
C'est fou c'que j'peux t'aimer
La... la... La... la...
Des fois j'voudrais crier
Car j'nai jamais aimé
Jamais aimé comme ça
Ça j'peux te l'jurer

Si jamais tu partais
La... la... la... La...
. . . .
Mon amour, mon amour.

Madeleine suit le chant avec tou-
jours la même intensité, le même
étonnement épouvanté, comme si
c'était la première fois qu'elle l'en-
tendait. La Jeune Femme finit de
chanter. Lenteur du dialogue.

MADELEINE. — « Mon amour, mon
amour »... (*Temps*). Qui c'est qui chante
ça sur le disque ?

JEUNE FEMME. — Une chanteuse qui est
morte.

MADELEINE. — Ah. (*Temps*). Quand ?

On ne sait jamais si Madeleine ca-
che ce qu'elle sait encore ou si elle
ne sait plus.

JEUNE FEMME. — Il y a une quinzaine d'années. (*Temps*). Le nom ne te dirait rien.

MADELEINE. — On dirait qu'elle est là.

JEUNE FEMME. — Elle est là. (*Temps*). A la Magra, cette chanson-là pendant les vacances, qui la chantait ?

La souffrance de nouveau revenue.

MADELEINE. — Je ne sais plus.

JEUNE FEMME (*murmuré*). — Elle.

MADELEINE (*mensonge*). — Je ne sais plus.

Silence.

MADELEINE (*temps, elle cherche*). — Celle-là, qui chante, là, je l'ai connue ?

JEUNE FEMME. — Sans doute. (*Temps*). Tu l'as oubliée. (*Temps*). Tu ne reconnais pas sa voix ?

MADELEINE. — Je ne reconnais plus rien. Sauf toi. (*Temps*). Peut-être que si tu me disais son nom...

JEUNE FEMME. — Je ne te le dirai pas.

MADELEINE. — Pourtant, dans la voix... cette force-là je l'ai déjà entendue... mais...

JEUNE FEMME. — C'est ta force. C'est ta voix. C'est la même.

MADELEINE (*étonnée*). — Tiens... C'est possible... (*Temps*). C'est curieux... c'est vrai ce que tu dis, qu'elle est là, (*geste, elle montre l'endroit*), tu ne trouves pas ? (*Temps*). Elle s'est tuée cette chanteuse-là ?

JEUNE FEMME (*hésitation*). — Oui.

MADELEINE. — Ça ne m'étonne pas. (*Temps*). On devine à travers la force de sa voix, on devine une autre force...

JEUNE FEMME. — La mort...

MADELEINE. — Peut-être, oui. (*Temps*). La mort. (*Temps*). Je saurais comment vouloir. Pendant des mois il m'est arrivé de mourir chaque soir au théâtre. (*Temps*). C'était à l'époque d'une très grande douleur. Quoi que j'aie joué pendant tout ce temps cette douleur s'introduisait dans le rôle, elle jouait, elle aussi, elle me montrait comment on pouvait jouer de tout, même de ça, de cette douleur-là pourtant si terrible.

Silence. Douceur.

JEUNE FEMME. — Tu te souviens ?

MADELEINE (*mensonge*). — Non.

JEUNE FEMME. — Tu mens.

MADELEINE. — Oui. (*Temps*). Comment saurais-tu, toi, ces choses, tu es si petite.

JEUNE FEMME. — Je les sais par toi. Et je les sais aussi déjà de mon côté. Tu m'as dit : la douleur se propose comme une solution à la douleur, comme un deuxième amour.

Temps.

MADELEINE. — Oui, on commence à douter de ce qui est arrivé, de qui est mort, de ce qui est resté en vie, de quel livre c'était, de quelle ville, de qui, de qui souffre, de qui connaît l'histoire, de qui l'a faite...

JEUNE FEMME (*violente*). — Et tout à coup tu cries et la voici, elle, la petite morte, dans un éclair... le petit visage sous la houle, souriant d'aise, et le cœur éclate d'une abominable vérité.

MADELEINE. — Oui, c'est là qu'elle se montre, à l'instant même où on croit l'avoir oubliée. (*Temps*). Dix-sept ans. On

70

s'empêche de mourir par politesse. La salle est pleine, elle a payé, on lui doit le spectacle.

> *Silence très différent. La Jeune Femme parle à voix haute pour tout le monde, presque avec insolence.*

JEUNE FEMME. — On se met à comprendre tout. Des choses incroyables : par exemple qu'elle est morte. Morte. Des choses exténuantes. Que sa grâce était celle-là même de la mort. Qu'il n'y a rien à comprendre jamais, de l'extérieur. Jamais. Nulle part.

> *La quatrième période de la pièce se prépare.*
> *La Jeune Femme chante « Les Mots d'Amour » violemment face au public.*

JEUNE FEMME :
> C'est fou c'que j'peux t'aimer
> La... la... la... la...
> . . . .
> . . . .
> Mon amour, mon amour.

Silence. La quatrième période sera conforme à la représentation théâtrale traditionnelle. On ne pourra plus s'y tromper.

Un intermède très court a lieu, pendant lequel les deux femmes rapprochent la table et les chaises du public et que sur le tout de cette table, de ces chaises, de ces deux femmes, le miroir se projette brillant, presque inconvenant.

Puis la Jeune Femme se lève. Elle est face au public à la gauche de Madeleine. Madeleine la regarde. On ne sait pas trop ce qui se prépare. Madeleine est comme abandonnée par la Jeune Femme. Et puis, la Jeune Femme parle et on doit comprendre tout de suite, à la façon qu'elle a de se tourner d'un pas vers Madeleine et de la désigner ainsi par la pose de tout son corps, du fait aussi de sa voix très légèrement déplacée vers la déclamation, qu'elle parle pour Madeleine. A la place de Madeleine. Pour l'entraîner loin de la mort.

JEUNE FEMME (*débit presque mécanique, ralenti*). — C'était donc une fois, c'était dans un café, c'était l'après-midi, le café donnait sur un square, au centre du square il y avait une pièce d'eau. C'était dans un pays qui aurait pu être le Sud-Ouest français.
Ou le quartier d'une ville européenne.
Ou encore ailleurs.
Dans ces petits chefs-lieux de la Chine du Sud.
Ou à Pékin.
Calcutta.
Versailles.
Dix-neuf cent vingt.
Ou à Vienne.
Ou à Paris.
Ou ailleurs encore.

> *Petit à petit, surtout à travers la proclamation du nom des villes où l'histoire aurait pu avoir lieu, Madeleine reprend vie et commence à s'animer comme malgré elle, à proférer d'autres noms de villes :*
> *Par exemple, « Calcutta, Saigon, Mandalay, Singapour, Yokohama ».* Tout bas elle dit les noms

ou les prononce sans les proférer ou acquiesce silencieusement que « c'est bien ça », que « c'est juste » ce que raconte la Jeune Femme. Il va sans dire qu'à n'importe quel récit, de quelque ordre qu'il soit, Madeleine acquiescerait de même, qu'elle « reconnaîtrait » l'histoire.

MADELEINE (*murmuré*) :
      Ou ailleurs.
      A Saigon,
      Singapour.
      A Mandalay,
      Yokohama.
      Et qui sait ?
      Et qui sait ?

JEUNE FEMME. — Oui. (*Temps*). Cela aurait toujours eu lieu, soit dans les régions des latitudes chaudes de la terre, soit pendant les étés des pays du Nord.
Partout où cela serait survenu ç'aurait été au cours d'un après-midi.

MADELEINE (*en écho*). — Ç'aurait été pendant l'été d'un pays du Nord. L'après-midi.

74

JEUNE FEMME. — Oui. Ç'aurait été la fin d'un jour, juste avant la nuit.

Ici commence le dialogue théâtral, toujours reconnaissable entre tous.

JEUNE FEMME. — C'était vers la fin du jour, avant que vienne la nuit. Mais déjà quand elle s'annonce, que la lumière s'allonge, déjà affaiblie et qu'elle entre partout où elle trouve à entrer avant de s'éteindre. C'était donc ce moment-là, très bref, de l'illumination avant le noir. L'homme qui était dans le café était assis le long de la vitre qui donnait sur la pièce d'eau. Il a sorti une lettre de sa poche. Il l'a lue. Et puis il l'a relue, il a relu cette lettre. Et moi je regardais. (*Temps*). Et puis il a remis cette lettre dans sa poche. Et moi, je regardais toujours. Et puis il l'a sortie de nouveau de sa poche et puis il l'a relue encore. Et moi j'ai vu : il pleurait. (*Temps*). Après l'avoir relue, il l'a remise dans sa poche sans la plier en la froissant. (*Temps*). Je regardais toujours. Il ne l'a plus relue. Il est resté là, comme mort, face au crépuscule.

MADELEINE (*regarde la jeune femme,*

comme si la jeune femme lui dictait ses répliques, toujours comme incertaine). — Oui, jusqu'à la tombée du soir profond il n'a pas fait un mouvement. Il regardait la pièce d'eau. Je ne le regardais pas tout le temps. Je regardais tantôt la pièce d'eau, tantôt lui. Je voulais voir ses yeux.

JEUNE FEMME. — Ses yeux, oui. (*Temps*). Ce que je voulais voir, c'était ses yeux. Et tout à coup c'est arrivé. Il a cessé de regarder la pièce d'eau et tout à coup il m'a regardée, moi.

Madeleine dit la phrase de façon éclatante, comme déterminante :

MADELEINE. — Il avait des yeux clairs.

JEUNE FEMME. — Il s'est demandé ce que cela voulait dire, ce regard-là sur lui, cette insistance. Il a dû penser : mais quelle indiscrétion, quelle inconvenance...

MADELEINE. — Mais moi je n'ai pas baissé les yeux.

JEUNE FEMME. — C'est lui qui l'a fait, qui a baissé les yeux. Il a recommencé à regarder la pièce d'eau.

MADELEINE. — Il m'a oubliée.

JEUNE FEMME. — Oui, c'est ça. (*Temps*). Et puis il s'est rappelé. (*Temps*). Il a regardé encore le regard.

MADELEINE. — Et puis il a oublié de nouveau. (*Temps*). Mais moi je le regardais toujours.

Temps.

JEUNE FEMME. — Et puis tout à coup, tout a changé.

MADELEINE. — Tout. (*Temps*). Dès qu'il a tourné la tête une dernière fois, tout avait déjà changé : il savait. Il savait que quelqu'un assistait à sa terrible histoire.

Temps.

JEUNE FEMME. — Oui, il savait qu'il y avait là, là dans le monde, ce soir-là, quelqu'un qui regardait le déroulement de sa terrible douleur.

MADELEINE. — Qui ? Il ne savait pas. Mais le regard, il l'avait vu.

JEUNE FEMME. — Oui. Et déjà il aurait pu reconnaître ce regard. Il a cessé de nouveau de regarder la pièce d'eau. Il s'est retourné et sans hésitation aucune il a regardé droit vers moi.

Temps. Lenteur.

MADELEINE. — Son expression avait changé et à son maintien, à ce moment-là, on aurait pu croire qu'il allait quitter le café, fuir cette femme à l'angle du bar qui le regardait si fort.

JEUNE FEMME. — Pour que cela cesse, vous comprenez, c'est ce que j'ai cru. (*Temps*). Mais je me trompais.

Temps. Lenteur.

MADELEINE. — A la place qu'il le fasse, c'est moi qui ai baissé les yeux pour ne pas le retenir, pour le laisser libre de partir, de me quitter, de me briser... de me tuer...

JEUNE FEMME. — Mais fermer les yeux tout à coup, comme ça, devant lui, prouvait seulement mon amour pour lui, si soudain et si fort.

MADELEINE. — C'était clair. C'était éclatant.

JEUNE FEMME. — Il l'a compris. Distrait tout à coup de sa propre histoire, il regardait vers moi.

MADELEINE. — Il regardait cet amour se faire, un amour tel qu'il était d'une écrasante évidence que cette jeune femme ne l'avait jamais encore éprouvé pour un autre homme que lui.

Temps.

JEUNE FEMME. — A cause de sa douleur... ?

MADELEINE. — A cause de sa douleur, oui.

JEUNE FEMME. — Oui. De sa douleur à propos d'une autre femme qui nous privait lui et moi de l'histoire d'un amour.

MADELEINE. — Je veux vous dire, écoutez-moi bien, écoutez-moi, je me reprends : de sa douleur à propos d'une autre femme qu'il aimait et qui nous permettait à lui et à moi de vivre un sentiment d'amour sans en vivre l'histoire.

Temps.

MADELEINE. — Il avait les yeux clairs ?

JEUNE FEMME. — Je crois. Vous disiez : bleus.

MADELEINE. — Non, j'ai dit : clairs. (*Temps*). J'ai dit aussi : des yeux... je ne sais plus. (*Temps*). Aujourd'hui je dis : des yeux clairs. Des cheveux blonds. Je ne change plus rien.

JEUNE FEMME. — Des yeux clairs...

MADELEINE. — Oui...

JEUNE FEMME. — Des yeux dont on croit qu'ils voient bien, loin, vers le passé.

MADELEINE. — Oui, mais c'est faux, des yeux qui ne voient pas tout.

JEUNE FEMME. — Des yeux qui empêchent qu'une autre histoire ne vienne remplacer l'autre, celle qui a sombré dans la mort.

MADELEINE. — C'est ça.

JEUNE FEMME. — Des yeux qui peut-être ne voient pas du tout, qui sont aveuglés de lumière.

MADELEINE. — Non. Des yeux qui voient seulement l'immortalité.

Silence. Elles se regardent. La Jeune Femme chante l'air et Madeleine dit les paroles de la fin de la chanson.

JEUNE FEMME (*chante*) :
    Des mots d'amour
    Il y en a tant
    Il y en a tant
    Il y en a trop
    . . . . ¨ . .

MADELEINE. — Oui.

Silence.

JEUNE FEMME (*chante*) :
    La... la... la...
    La... la... la...
    Mon amour, mon amour.

MADELEINE. — Il aimait jusqu'à la folie quelqu'un qu'il ne verrait plus jamais.

JEUNE FEMME. — C'était comme ça que je l'aimais, privé d'elle, de cette autre femme, dans cette douleur. J'éprouvais un très grand désir de son corps privé de cette autre femme. Je pleurais tellement que c'était un grand désir.

81

Silence. Passages de gens derrière le rideau, comme une menace. La rumeur disparaît.

JEUNE FEMME. — Il s'est mis de nouveau à regarder la pièce d'eau qu'on voyait maintenant à peine derrière les vitres du café.

La Jeune Femme regarde Madeleine. Silence. Lenteur déclamatoire.

MADELEINE. — Ce n'était pas une pièce d'eau. C'était la mer.

JEUNE FEMME. — Oui.

MADELEINE. — Ce n'était pas la France. C'était le Siam.

JEUNE FEMME. — Oui.

MADELEINE. — C'était Savannah Bay.

JEUNE FEMME. — Oui, c'était Savannah Bay. C'était le Siam. C'était l'embouchure d'un fleuve tropical.

Silence. Puis la Jeune Femme chante très bas « Les Mots d'Amour ».

MADELEINE (*sur le chant*). — C'était Henry Fonda, c'était Savannah Bay, c'était dans une pièce de théâtre. Titre : Savannah Bay. Acteur : Henry Fonda.

Temps long.

JEUNE FEMME. — Il s'est relevé. J'ai vu son mouvement dans la vitre et même son visage devenu presque caché.

Temps.

MADELEINE. — La nuit tombait déjà sur Savannah Bay. (*Temps*). Au loin on voyait les quais éclairés. (*Temps*). Déjà les bateaux de pêche partaient pour la haute mer.

JEUNE FEMME. — Les lampes du bar se sont allumées. Il s'est retourné. Il m'a regardée.

MADELEINE. — Et il s'est levé. Il s'est tourné vers moi et il a attendu sans doute que je lui fasse signe. Qui sait ? Alors de la main, d'un geste très léger à peine visible, je lui ai fait signe de venir vers moi.

JEUNE FEMME. — Il s'est levé.

MADELEINE. — Oui.

JEUNE FEMME. — Il s'est rapproché.

MADELEINE. — Oui.

> *Les deux femmes changent la direction de leurs regards, comme si elles regardaient une troisième personne. Elles se parlent comme les amants de Savannah Bay.*

JEUNE FEMME. — Il portait un costume de tussor blanc. Il m'a souri. Je lui ai fait signe de s'asseoir.

MADELEINE. — Oui. (*Temps*). Il a dit : « Je suis un Européen de Savannah Bay. »

JEUNE FEMME. — Alors moi je m'étonne. Je dis : « Ici on dit Européen ? Comme c'est curieux... »

MADELEINE. — Il dit que c'est comme ça. « Européen », il dit.

JEUNE FEMME. — Il dit que ça date de l'Empire colonial. « On disait Européens pour dire les Blancs. » Et puis il me regarde : « Vous habitez le Siam ? »

MADELEINE (*prise de court*) : « C'est-à-dire... »

JEUNE FEMME. — « Le Siam ? »

MADELEINE (*prise de court, comme si elle avait oublié une réplique*). — « C'est-à-dire... »

JEUNE FEMME. — « Elle est là pour un film, Monsieur. Elle tourne un film à Savannah Bay. Avec Henry Fonda. D'amour. Un film d'amour. »

MADELEINE (*délivrée de la corvée de la mémoire, délicieuse*). — Oui, c'est ça, je tourne un film à Savannah Bay avec Henry Fonda. Le titre c'est : Savannah Bay. »

JEUNE FEMME. — « Ça arrive souvent, des films ici, à cause de la lumière de Savannay Bay. »

MADELEINE. — « Ah... Savannah, Savannah Bay ». (*Temps*). « Admirable lumière. »

JEUNE FEMME. — « Oui. Et toujours égale. Presque jamais de pluie. Des typhons vers les équinoxes, c'est tout. »

MADELEINE (*émerveillée*). — « Quel climat merveilleux. Quelle chance. »

Retour au lieu présent.

JEUNE FEMME. — « Je ne sais pas. Je n'y pense pas. » Il a cessé de me regarder, il a fixé la direction de la mer et il s'est tu.

MADELEINE. — C'était un homme d'une grande et rare sincérité.

JEUNE FEMME. — Oui. Perdu.

MADELEINE. — Sans plus rien à perdre. Sans plus rien à gagner.

JEUNE FEMME. — Oui.

Silence. Retour au ton impersonnel.

MADELEINE. — « Vous êtes malheureux, n'est-ce pas, Monsieur ? »

JEUNE FEMME (*geste*). — « Oui ».

86

MADELEINE. — « A cause de votre femme ? »

JEUNE FEMME. — « Oui. »

MADELEINE (*tout bas*). — « Dites-moi... qu'est-ce qui est arrivé ?

JEUNE FEMME. — « Il m'a regardée et il a dit : Ce qui arrive tous les jours, vous voyez, qui est à la fois sans importance et si terrible. »

MADELEINE. — « C'est vrai... ce que vous dites... oh que c'est vrai. »

JEUNE FEMME. — Il s'est retourné de nouveau vers la mer. Elle était tout entière tendue vers lui, des larmes dans les yeux. (*Temps*). Il a dit : « C'est épouvantable, c'est incroyablement difficile à traverser. Seul le temps peut adoucir cette douleur. » Il pleurait.

MADELEINE. — « Serait-elle morte, Monsieur ? »

JEUNE FEMME. — « Oui. »

MADELEINE. — « Morte, Monsieur, morte ? »

JEUNE FEMME. — « Oui, elle s'est donné la mort ici, une nuit, ici à Savannah Bay. »

MADELEINE. — « Quelle curieuse expression, Monsieur : se donner la mort... »

JEUNE FEMME. — « Il n'empêche, Madame. Si nous disions : trouver la mort, ce serait déjà moins juste. »

MADELEINE. — « Il est vrai... »

Silence.

MADELEINE. — « Quel âge, Monsieur, quel âge avait-elle ? »

JEUNE FEMME (*hésitation*). — Pas encore dix-huit ans, encore dix-sept ans, je crois, à quelques semaines près.

MADELEINE. — « Dieu. »

JEUNE FEMME. — « Oui. »

MADELEINE (*épouvante, voix murmurée*). — « Il y a de cela beaucoup de temps ? »

JEUNE FEMME. — « Il y a de cela l'âge de l'enfant. Vingt-cinq ans. »

Silence.

MADELEINE. — « C'était dans cette région de Savannah Bay ? »

JEUNE FEMME. — « Oui, c'était ici. C'était au Siam. »

MADELEINE. — Je ne savais pas que Savannah Bay était au Siam. Je pensais que c'était dans l'Italie du Sud. »

JEUNE FEMME. — « C'est aussi en Italie du Sud. C'est partout où vous êtes allée. »

MADELEINE (*temps*). — « Je comprends. »

Silence. Madeleine se détourne de la Jeune Femme.

MADELEINE. — « Monsieur... Monsieur, quelle horreur, vous devriez l'oublier. »

JEUNE FEMME. — « Je devrais, oui. »

La Jeune Femme se tourne vers Madeleine.

JEUNE FEMME. — « On m'avait toujours dit, Madame, que vous étiez profondément charmante. »

MADELEINE (*convaincue*). — « Oui. »

Silence. Madeleine s'éloigne de la Jeune Femme.

MADELEINE. — « Ainsi, Monsieur, je vois que vous n'êtes pas mort dans les marécages de la Magra. »

JEUNE FEMME. — « Je ne connais pas cet endroit, Madame, je m'en excuse. Il doit porter un autre nom ailleurs. »

MADELEINE (*interdite*). — Oui, sans doute. (*Temps*). Mais où ? »

JEUNE FEMME. — « Je ne sais pas ». (*Elle se tourne*). Il a regardé la mer. La lumière baissait. Il a eu l'air d'avoir oublié. Alors je l'ai appelé.

MADELEINE. — Il ne s'est pas retourné vers moi.

> *La Jeune Femme reprend le refrain tout bas. Elles restent immobiles dans la lumière et le chant. Puis la Jeune Femme sort et ferme la porte derrière elle comme elle avait annoncé qu'elle le ferait un jour. Madeleine reste seule, l'ignore.*
> *Noir sur la musique qui diminue et cesse.*

SAVANNAH BAY

*version créée au Théâtre du Rond-Point
le 27 septembre 1983*

Mise en scène : Marguerite Duras
Assistant : Yann Andréa
Décor : Roberto Plate
Assistant-Décorateur : Simon Duhamel

MADELEINE : Madeleine Renaud
LA JEUNE FEMME : Bulle Ogier

Eclairages : Geneviève Soubirou
Directeur de plateau : Jean-Pierre Mathis
Régie musique : Philippe Proust

Musique utilisée :
Les mots d'amour d'Edith Piaf
L'adagio du Quintette en ut majeur D 956
op. 163 de F. Schubert.

La scène est presque vide. Il y a six chaises et deux bancs recouverts de housses claires, et une table. Le sol est nu. Le tout doit occuper un dixième de l'espace de la scène. C'est là que va être représenté Savannah Bay.

Derrière cet espace de la représentation, séparé de lui, se trouve le décor que Roberto Plate a fait pour Savannah Bay. C'est une très grande scène de théâtre, faite pour être érigée dans un paysage vaste et désert. Deux rideaux de velours rouge en bois peint se relèvent devant la scène monumentale. Un espace central la creuse jusqu'au mur qui ferme le théâtre du Rond-Point. De part et d'autre de cet endroit-là, il y a les deux battants d'une porte très haute, vert sombre, qui rappelle celles des cathédrales de la vallée du Pô. Derrière cette porte il y a deux immenses colonnes de la hauteur du théâtre, d'un jaune clair et marbré. Derrière les colonnes cadrées par les battants de cette porte, après une zone de lumière presque noire, il y a la mer. Elle est illuminée par une lumière variable, soit « froide », soit « brûlante », soit sombre, elle est encadrée comme la Loi.

Ainsi le décor de Savannah Bay est-il séparé de Savannah Bay, inhabitable par les femmes de Savannah Bay, laissé à lui-même.

D'abord on entend très fort la chanson Les mots d'amour *chantée par Edith Piaf.*

Au bout du quatrième couplet, Madeleine apparaît dans la pénombre. Elle vient du décor. Peu après elle, la Jeune Femme entre à son tour. Elle rejoint Madeleine. Dans la pénombre elles sont arrêtées et écoutent le chant.

Le chant diminue.

Elles parlent.

MADELEINE. — Qu'est-ce que c'est ?

JEUNE FEMME. — Un disque pour vous.

> *La Jeune Femme et Madeleine écoutent la chanteuse.*

JEUNE FEMME. — Vous reconnaissez cette chanson ?

MADELEINE (*hésitation*). — C'est-à-dire... un peu... oui.

> *Le disque continue. Madeleine suit le chant avec toujours la même intensité.*

94

MADELEINE. — Qui chante ?

JEUNE FEMME. — Une chanteuse qui est morte.

MADELEINE. — Ah.

JEUNE FEMME. — Il y a une quinzaine d'années.

MADELEINE (*écoute*). — On dirait qu'elle est là.

JEUNE FEMME (*temps*). — Elle est là. (*Temps*). A la Magra vous avez dû chanter ça... Pendant plusieurs étés.

MADELEINE. — Ah, peut-être... peut-être.

JEUNE FEMME (*affirme*). — Oui.

MADELEINE (*écoute*). — Elle a beaucoup de talent.

JEUNE FEMME. — Oui. (*Temps*). Le disque était dans la maison depuis toujours. Et puis il a été cassé.

MADELEINE (*à peine dit*). — Ah oui... (*Silence. Le disque a baissé d'intensité. Elle montre la direction de la musique*). Celle-là qui chante, je l'ai connue ?

JEUNE FEMME. — Le nom ne vous dirait rien.

MADELEINE. — Non.

JEUNE FEMME (*temps*). — Vous reconnaissez la voix ?

MADELEINE. — Pas la voix... quelque chose dans la voix, la force peut-être... C'est une voix qui a beaucoup de force...

JEUNE FEMME. — C'est votre force. C'est votre voix.

MADELEINE (*n'écoute pas*). — Elle s'est tuée, cette femme-là.

JEUNE FEMME (*hésitation*). — Oui. (*Temps*). Vous le saviez.

MADELEINE (*temps*). — Non. Je l'ai dit au hasard. (*Temps*). C'est peut-être ce qu'elle chante qui porte à le croire. (*Silence. Le disque se termine*). Pendant des mois il m'est arrivé à moi aussi de mourir chaque soir au théâtre. Des mois durant, chaque soir. (*Temps*). C'était à l'époque d'une très grande douleur.

Silence.

JEUNE FEMME. — Je vais chanter cette chanson et vous, vous répéterez les paroles. (*Madeleine fait une légère moue*). Vous ne voulez pas ?

MADELEINE. — Si... Si... Je veux bien. (*Silence Elle regarde la Jeune Femme. Brusquement, elle s'étonne* :) Qui êtes-vous ? (*Temps*). Vous êtes une petite fille... ? (*Silence. Madeleine se lève. Peur*). Je ne me souviens jamais exactement...

96

La Jeune Femme se place devant Madeleine.

JEUNE FEMME. — Regardez-moi. Je viens tout les jours vous voir.

MADELEINE. — Ah oui oui... On joue aux cartes... ? On raconte des histoires... ?

JEUNE FEMME. — C'est ça... on prend le thé... des tas de choses...

MADELEINE (*temps*). — Oui... un jour... c'est vous qui me faites compter... C'est ça... des chiffres.

JEUNE FEMME. — Oui.

MADELEINE. — Des chiffres considérables, énormes...

JEUNE FEMME. — C'est ça.

MADELEINE. — Je vous reconnais. (*Temps long*). Vous êtes la fille de cette enfant morte. De ma fille morte. (*Temps long*). Vous êtes la fille de Savannah. (*Silence. Elle ferme les yeux et caresse le vide*). Oui... Oui... C'est ça. (*Elle lâche la tête qu'elle caressait, ses mains retombent, désespérées*). Je voudrais qu'on me laisse.

La Jeune Femme va s'asseoir devant Madeleine. Elle commence à chanter la chanson de façon ralentie, en prononçant les paroles de façon très intelligible.

JEUNE FEMME. — Regardez-moi. (*Temps. Chanté*) :

> C'est fou c'que j'peux t'aimer
> C'que j'peux t'aimer des fois
> Des fois j'voudrais crier...

MADELEINE (*regarde la Jeune Femme comme une élève le ferait et répète lentement, sans ponctuation précise, comme sous dictée*) :

> C'est fou ce que je peux t'aimer
> Ce que je peux t'aimer des fois
> (*Temps*)
> Des fois je voudrais crier

JEUNE FEMME. — Oui. (*Temps. Plus lentement*) :

> Car j'n'ai jamais aimé
> Jamais aimé comme ça
> Ça je peux te l'jurer...

MADELEINE (*de plus en plus attentive*) :

> Car je n'ai jamais aimé
> Jamais aimé comme ça
> Ça je peux le jurer

JEUNE FEMME (*temps*). — C'est ça. (*Elle se tait un instant, puis elle recommence à chanter*) :

> Si jamais tu partais
> Partais et me quittais
> Je crois que j'en mourrais
> Que j'en mourrais d'amour
> Mon amour, mon amour...

MADELEINE (*fixe, comme stupéfiée par la violence des paroles*). — Non.

Silence.

JEUNE FEMME (*sur le même ton*) :
Si jamais tu partais
Partais et me quittais.

MADELEINE :
Si jamais tu partais
Partais et me quittais.

JEUNE FEMME. — Oui.
Je crois que j'en mourrais
Que j'en mourrais d'amour
Mon amour, mon amour...

MADELEINE. — Non.

JEUNE FEMME (*temps. Non chanté*). — Je crois
que j'en mourrais.

MADELEINE. — Je crois que j'en mourrais.

JEUNE FEMME. — Que j'en mourrais d'amour,
mon amour, mon amour.

MADELEINE (*docile*). — Que j'en mourrais
d'amour, mon amour, mon amour...

JEUNE FEMME. — Oui.

*Le refrain est repris par la Jeune
Femme et Madeleine l'écoute toujours*

*avec passion. La Jeune Femme ne pro-
nonce plus toutes les paroles.*

JEUNE FEMME (*teneur musicale de la chanson*). — C'est fou c'que j'peux t'aimer... La la
la la la... Mon amour, mon amour... (*Silence.
Ton très réfléchi :*) C'est vous que j'aime le plus
au monde. (*Temps*). Plus que tout. (*Temps*).
Plus que tout ce que j'ai vu. (*Temps*). Plus
que tout ce que j'ai lu. (*Temps*). Plus que
tout ce que j'ai. (*Temps*). Plus que tout.

MADELEINE (*égarée, mais naturelle, laisse
dire*). — Moi.

JEUNE FEMME. — Oui.

> *Silence.
> Madeleine. Royale. Sauvage. Elle n'es-
> saie pas de comprendre. Elle est regar-
> dée par la Jeune Femme comme elle
> le serait par nous.*

MADELEINE. — Pourquoi me dire ça aujour-
d'hui...

JEUNE FEMME (*temps, prudence*). — Qu'est-ce
qu'il y a aujourd'hui ?

MADELEINE (*r e g a r d e ailleurs, c o m m e
confuse*). — J'avais décidé de demander qu'on
ne vienne plus me voir aussi souvent... enfin...
un peu moins... (*Silence. Sourire d'excuse :*)

Je voudrais être seule ici. (*Elle montre autour d'elle*). Seule. (*Violence soudaine, elle crie*). Que personne ne vienne plus.

JEUNE FEMME (*douceur*). — Oui.

MADELEINE (*r e v i r e m e n t total, plainte, amour*). — Mais toi... qu'est-ce que tu deviendras sans moi ?... (*Silence. Elle ferme les yeux, appelle une autre*). Mon enfant... mon enfant... ma beauté... ça ne voulait pas vivre... ça ne voulait pas... non... ça ne voulait rien... rien...

> La Jeune Femme, dirait-on, ne veut pas avoir entendu. Madeleine a parlé loin d'elle dans le temps. Silence.

JEUNE FEMME (*chante comme en réponse*) :
C'est fou c'que j'peux t'aimer
C'que j'peux t'aimer des fois
Des fois j'voudrais crier...

MADELEINE (*dans le passé*). — Oui.

Silence.

JEUNE FEMME. — Je voulais vous dire, j'ai vu une photographie de ces années-là de la chanson. Ils sont tous devant la porte des bateaux. (*Temps*). Il y a une très jeune fille.

MADELEINE (*temps*). — Il y a toujours des jeunes filles sur les photographies des vacances.

101

JEUNE FEMME (*temps*). — A sa droite il y a un homme, il est grand, très jeune aussi, il lui tient la main. (*Silence*). Et puis, plus tard, il y a la photographie d'une femme. Elle a les mains sur le visage. Elle pleure. (*Temps*). C'est une scène de théâtre.

MADELEINE. — C'est moi. Au théâtre, c'est moi.

> *Silence. La Jeune Femme regarde Madeleine.*

JEUNE FEMME (*violence*). — Quelquefois, je ne reconnais plus votre voix.

MADELEINE. — Ça arrive, ça arrive, je l'entends.

JEUNE FEMME (*douceur*). — Vous ne comprenez plus que très peu de ce qu'on vous dit.

MADELEINE. — Oui, très peu de ce qu'on me dit. (*Temps*). Quelquefois, rien.

JEUNE FEMME (*lentement*). — Quelquefois, tout.

MADELEINE. — Quelquefois, tout.

> *Silence.*

JEUNE FEMME (*douceur*). — Un certain jour, un certain soir, je vous laisserai pour toujours.

102

(*Elle montre la porte*). Je fermerai la porte, là (*geste*), et ce sera fini. Je vous embrasserai les mains. Je fermerai la porte. Ce sera fini.

MADELEINE (*rituel*). — Quelqu'un viendra chaque soir pour voir. Et pour allumer les lampes ?

JEUNE FEMME. — Oui. (*Temps*). Et un jour il n'y aura plus de lumière. Ce ne sera plus la peine qu'il y ait de la lumière.

Silence.

MADELEINE. — Oui, c'est ça. On écoutera. La respiration aura cessé ?

JEUNE FEMME. — Oui.

Silence. Madeleine regarde la Jeune Femme.

MADELEINE. — Et toi, où seras-tu ?

JEUNE FEMME. — Partie. Différente. Pour toujours différente. Pour toujours sans vous.

MADELEINE. — Sans moi, sans qui ?

JEUNE FEMME. — Vous. Sans vous.

Elles boivent le thé.

MADELEINE (*temps*). — La mort arrivera du dehors de moi.

JEUNE FEMME. — De très loin. (*Temps*). Vous ne saurez pas quand.

MADELEINE. — Non, je ne saurai pas.

JEUNE FEMME. — Elle est partie depuis le commencement du monde en prévision de vous seule.

MADELEINE. — Oui. Inscrite dès la naissance. Quel honneur, dès avant la naissance.

JEUNE FEMME. — Oui.

MADELEINE (*montre la scène*). — Pour arriver là. (*Silence*). Comment sais-tu ces choses-là ?

JEUNE FEMME. — Je vous vois.

Silence. Regard intense de la Jeune Femme sur Madeleine. Elles boivent.

JEUNE FEMME. — Vous pensez tout le temps, tout le temps, à une seule chose.

MADELEINE (*d'évidence*). — Oui.

JEUNE FEMME (*violente*). — A quoi ? Vous pouvez le dire une fois ?

MADELEINE (*également violente*). — Eh bien, vas-y voir toi-même pour savoir ce à quoi on pense.

JEUNE FEMME. — Vous pensez à Savannah.

MADELEINE. — Oui. Je crois que c'est ça.

Silence. La douceur revient.

JEUNE FEMME. — Savannah arrive à la vitesse de la lumière. Elle disparaît à la vitesse de la lumière. Les mots n'ont plus le temps.

MADELEINE. — Non, plus le temps.

JEUNE FEMME. — Et à n'importe quel moment. Impossible de le prévoir.

MADELEINE. — Impossible, autant prévoir le bonheur.

Silence. La Jeune Femme s'avance vers Madeleine, et montre sa robe.

JEUNE FEMME. — Regardez... c'est le costume que vous portiez, vous savez, dans ce film, *Le voyage au Siam.*

MADELEINE. — Ah oui... oui... ça vous va très bien... très bien...

La Jeune Femme entraîne Madeleine vers le lieu incendié de lumière d'un miroir invisible. Elles regardent tous les deux l' « image » de Madeleine.

JEUNE FEMME. — Regardez-vous...

Silence.

MADELEINE (*très simple*). — Je trouve que je suis belle.

JEUNE FEMME. — Je trouve aussi... que vous êtes belle.

Silence.

MADELEINE. — Le rouge me va très bien... toujours... et puis c'est cette robe aussi...

Madeleine regarde sa robe, tourne devant le miroir.

JEUNE FEMME. — D'où elle vient ?

MADELEINE (*geste*). — Des armoires, là-bas. Je l'ai sortie ce matin.

JEUNE FEMME. — Vous avez joué beaucoup de pièces avec ça...

MADELEINE. — Oh oui... de très belles pièces... des tragédies... des comédies... tout.

JEUNE FEMME. — Ah oui... c'est vrai. (*Temps*). Dites-moi, vous étiez comédienne ?...

MADELEINE (*comme le découvrant*). — Oui... oui... j'étais une comédienne. C'était ce que je faisais. Comédienne.

JEUNE FEMME. — Comédienne...

MADELEINE. — Comédienne pour le théâtre, j'étais.

JEUNE FEMME (*temps*). — Autrement, rien.

MADELEINE (*temps*). — Rien.

> *La Jeune Femme tourne autour de Madeleine.*

JEUNE FEMME. — Dites-moi encore cette histoire.

MADELEINE. — Tous les jours tu veux cette histoire.

JEUNE FEMME. — Oui.

MADELEINE. — A force, tous les jours je me trompe... dans les dates... les gens... les endroits...

> *Rire subit des deux femmes.*

JEUNE FEMME. — Oui.

MADELEINE. — C'est ce que tu veux ?

JEUNE FEMME. — Oui.

> *Rire. Puis le rire s'éteint.*

Le théâtre commence. On en pose lentement le décor.

JEUNE FEMME. — C'est une grande pierre blanche, au milieu de la mer.

MADELEINE. — Plate. Grande comme une salle.

JEUNE FEMME. — Belle comme un palais.

MADELEINE. — Comme la mer, de la même façon.

JEUNE FEMME. — Elle s'est détachée de la montagne quand la mer s'est engouffrée.

MADELEINE. — Elle est restée là. Trop lourde pour être emportée par les eaux.

JEUNE FEMME (*temps*). — De la mer elle a le grain, le grain de l'eau.

MADELEINE. — Du vent elle a la forme brutale. (*Silence*). On ne peut pas en parler.

JEUNE FEMME. — On en parle. (*Silence. Lenteur :*) C'était l'été.

MADELEINE. — C'était l'été au bord de la mer.

JEUNE FEMME. — Vous n'êtes plus sûre de rien.

MADELEINE. — Je ne suis sûre que de presque

rien. (*Temps*). La pierre blanche, je suis sûre. (*Temps*). Il fallait nager pour l'atteindre. Elle était tombée dans la mer. (*Temps*). Ils s'étaient connus à cet endroit-là, de la grande forme plate, au milieu de la mer...

JEUNE FEMME. — ... presque à fleur d'eau, la pierre, quand les bateaux passaient, la houle la recouvrait d'eau fraîche, puis le soleil revenait et en quelques secondes la rendait infernale, de nouveau brûlante. (*Temps*). C'était l'été. C'était les vacances scolaires. Elle était très jeune. A peine sortie du collège. Elle nageait loin.

MADELEINE (*temps*). — Il y avait des moments... on aurait pu croire... pendant quelques minutes... qu'elle ne reviendrait plus. Elle revenait. Pendant longtemps elle était revenue.

JEUNE FEMME. — Ils s'étaient connus là. C'était là qu'il l'avait vue, allongée sur la pierre, souriante, régulièrement recouverte par les eaux de la houle.

MADELEINE (*temps*). — Elle avait pris le raccourci le long des étangs, lui, il était venu par le chemin le long du fleuve. C'était vers midi.

JEUNE FEMME. — C'était des jours très chauds, vous avez oublié.

MADELEINE. — Non, je me souviens, c'était des jours très chauds, les plus chauds de l'été.

109

JEUNE FEMME (*geste*). — Dès l'embouchure du fleuve, en découvrant la mer, à l'endroit de la pierre, il l'avait vue. Il avait vu sur le blanc de cette pierre la petite forme cernée de noir. (*Temps long*). Et puis là il l'avait vue se jeter dans la mer, s'éloigner.

MADELEINE. — Elle a troué la mer avec son corps. Et elle a disparu dans le trou d'eau. L'eau s'est refermée.

JEUNE FEMME. — On ne voit plus rien à la surface de la mer. (*Temps*). Alors, il crie. (*Temps*). Tout à coup il se dresse sur la pierre blanche et il crie. Il crie qu'il veut revoir cette jeune fille en maillot noir. (*Temps*). Elle, à ce cri, elle revient.

MADELEINE. — Elle revient avec une certaine peine, trop légère qu'elle est pour l'eau épaisse et lourde, mon enfant.

JEUNE FEMME. — C'est quand il l'a vue revenir... il a souri... et ce sourire...

MADELEINE (*égarée*). — ... Ce sourire est terrible, à ne pas regarder, il fait croire que... une fois... pendant un moment même très court... comme si c'était possible... on pouvait mourir d'aimer. (*Silence*). Je crois que c'était à Montpellier en 1930-1935. Au théâtre de la ville. L'auteur était inconnu. Français, je crois. (*Silence*). Pendant ces années-là et les années qui ont suivi, j'étais tous les soirs sur les

110

scènes du théâtre. Partout, dans le monde entier. (*Temps*). On aurait pu croire que je jouais différentes choses, mais en fait je ne jouais que ça, à travers tout ce qu'on croyait que je jouais, je jouais l'histoire de la Pierre blanche. (*Temps long*). Tu comprends un peu ?

JEUNE FEMME. — Oui. (*Temps*). Vous faites exprès cette comédie ?

MADELEINE. — Oui.

JEUNE FEMME. — Vous mentez ? (*Silence*). Non, vous ne mentez pas.

MADELEINE. — Non.

JEUNE FEMME (*temps. Douceur*). — Elle était là où vous étiez.

MADELEINE. — Elle était là où j'étais.

JEUNE FEMME (*temps*). — Elle était là aussi avant de naître.

MADELEINE. — Avant de naître, elle était là aussi, oui.

JEUNE FEMME. — Oui. (*Temps*). Dans les théâtres, aussi enfermée avec vous, partout dans le monde.

MADELEINE. — Partout.

JEUNE FEMME. — Et puis il y a eu ce jour d'été.

Elles détournent leur visage, mettent leurs mains sur leur visage, sans pleurer, ni dans la voix ni dans les yeux.

JEUNE FEMME. — Mon amour.

MADELEINE. — Oui. (*Temps*). Mon amour, mon trésor, mon adorée. Adorée. (*Silence*). Je me souviens mais ça n'a plus de forme, c'est caché. Je ne sais plus de quoi je me souviens quand je me souviens d'elle, mais c'est là.

Silence.

JEUNE FEMME. — Je ne vous laisserai jamais.

MADELEINE (*toujours égarée, n'entend pas*). — Mon amour, mon petit enfant...

JEUNE FEMME. — Oui. (*Temps*). Que dit l'histoire ?

MADELEINE. — Que c'était lorsqu'elle riait qu'on aurait pu croire qu'elle était là. Qu'elle resterait là, encore.

JEUNE FEMME. — Tout le monde n'est pas d'accord. Certains disent au contraire que la mort se pressentait déjà dans son rire léger, facile, ils disent : un rire comme l'air.

MADELEINE. — Ils disent ça, les gens ?

JEUNE FEMME. — Oui.

JEUNE FEMME (*temps*). — Vous, qu'est-ce que vous dites ?

MADELEINE. — Moi, je dis que lorsqu'elle riait

> *Arrêt net, douleur, puis elle se met à dévisager la Jeune Femme.*

JEUNE FEMME (*l'entraîne hors de la douleur*). — Elle était en maillot noir.

MADELEINE (*répète*). — Elle était en maillot noir.

JEUNE FEMME. — Très mince...

MADELEINE. — Très mince.

JEUNE FEMME. — Très blonde.

MADELEINE. — Je ne sais plus. (*Elle s'approche de la Jeune Femme, porte la main sur son visage, lit la couleur de ses yeux*). Les yeux, je sais, ils étaient bleus ou gris selon la lumière. A la mer, ils étaient bleus. (*Silence*). Entre elle et lui, il y a cette couleur bleue, cet espace de la mer lourde, très profonde et très bleue.

JEUNE FEMME (*temps*). — Il s'avance jusqu'au bord de l'eau et il lui tire les bras. (*Temps*). Il la retire, il la sort de la mer.

MADELEINE. — Il prend ses mains et il tire vers lui. La peau lui brûle, lui craque, quand il tire les mains, quand il la sort de la mer.

113

Silence.

JEUNE FEMME. — Il l'a sortie de la mer.
(*Temps*). Il l'a posée sur la pierre et il l'a
regardée. (*Temps long*). Il la regarde. On dirait
qu'il en est étonné. (*Temps*). Elle, elle se repose
de la nage, elle se laisse recouvrir par le mouvement de la houle, elle respire entre les mou-
vements de cette houle, elle ferme les yeux.

MADELEINE. — Il la prend par les épaules, il
la soulève, il la sort de la houle tout à coup,
il embrasse les yeux fermés et il l'appelle.
(*Temps*). Ces baisers... ces baisers... Dieu... il
ne la connaissait pas, il ignorait son nom... Il
l'appelle avec d'autres noms et aussi avec celui
de Savannah.

JEUNE FEMME. — Elle ouvre les yeux, elle le
voit. (*Temps long*). Ils restent un long moment
à se voir. (*Temps long*). Pour la première fois,
ils se voient. Ils voient. Sous le regard, à perte
de vue ils voient.

MADELEINE. — Et puis, il lui parle.

JEUNE FEMME. — Il lui parle, là (*geste*), au
visage.

MADELEINE. — Il parle comme il regarde, il
ne pense pas à elle quand il lui parle.

JEUNE FEMME. — Ce qu'il dit, c'est ce qu'on
dit.

114

MADELEINE. — Ce sont ces choses que l'on dit toujours avant de connaître, avant de toucher, de prendre. (*Temps*). Il lui aurait dit qu'il était étonné de la voir là, à cet endroit-là du monde, si loin de tout ce qu'il avait connu jusqu'ici, si différente.

JEUNE FEMME (*temps*). — Vous, où êtes-vous ?

MADELEINE. — Je suis restée dans la maison, dans le noir des volets fermés à cause de la chaleur. La maison est sombre, étouffante. Je sais qu'elle est allée à la pierre blanche.

JEUNE FEMME (*temps*). — Vous entendez ce qu'ils disent.

MADELEINE. — Oui. Le vent.

JEUNE FEMME. — Le vent porte les voix...

MADELEINE. — Oui, le vent du fleuve porte les voix.

JEUNE FEMME (*temps*). — Il prend sa tête dans ses mains, la pose dans ses bras à l'envers du soleil, il lui parle. (*Temps*). Il dit : « Vous n'êtes pas trop fatiguée, vous nagez si loin, comment avez-vous la force ? Faites attention au soleil, ici il est terrible, vous n'avez pas l'air de le savoir. »

MADELEINE. — Elle dit : « J'ai l'habitude de la mer. »

JEUNE FEMME. — Il dit que non, que ce n'est jamais possible, jamais. Elle dit que c'est vrai, jamais. (*Silence*). Il dit : « Je ne sais pas vous regarder. Ce n'est pas que vous soyez belle, c'est autre chose, de plus mystérieux, de plus terrible, je ne sais pas ce que c'est. »

MADELEINE. — Elle dit : « Moi non plus je ne sais pas de quoi vous parlez, de quoi il s'agit. Je n'ai jamais été aussi près d'un homme. J'ai seize ans. »

JEUNE FEMME. — Ils quittent la pierre blanche. Très lentement, ils nagent le long du sable. Et tout à coup il ferme les yeux pour ne plus la voir, il nage vite pour la perdre. Et puis il revient. Il dit : « Je suis revenu. »

Silence.

MADELEINE. — C'est alors qu'elle lui dit : « Si vous voulez, je peux me prêter à vous. Si cela vous plaît, je le ferais. Je suis en âge de le faire et ici, regardez, il n'y a personne pour voir, nous sommes arrivés à l'embouchure de la Magra. » (*Temps long*). Il lui demande : « Pourquoi désirez-vous me plaire ? »

JEUNE FEMME. — Elle dit que c'est une façon de parler, qu'elle ne sait rien encore de ce qu'elle lui a proposé, qu'elle a donc parlé au hasard.

MADELEINE (*temps*). — Il dit : « J'accepte que vous vous prêtiez à moi. Cependant je suis dans la peur. Je voudrais bien que vous me disiez, vous, pourquoi, moi, j'ai peur. »

JEUNE FEMME. — Elle sourit. Elle dit : « Depuis toujours je retiens en moi comme un drôle de désir, celui de mourir. Je dis ce mot faute d'un autre mot, mais vous, peut-être avez-vous deviné ce désir-là à travers la maladresse de ma demande. Et c'est peut-être pourquoi vous avez peur. »

MADELEINE. — Il demande : « Est-ce que vous m'avez choisi parce que j'ai peur ? »

JEUNE FEMME. — Elle dit : « Sans doute, oui, à cause de ça, mais je ne suis pas sûre, je ne connais pas ce dont je parle, je ne connais pas la nature de la peur que cela fait. »

MADELEINE. — « Mais vous parlez cependant de la mort. »

JEUNE FEMME. — « Oui, je parle de la peur que fait ce mot, mais ce n'est pas pour autant que je le connaisse, que je puisse dire l'inconnu qu'il contient, cet attrait si fort et cette peur à la fois. Cette difficulté fait partie de cette drôle de raison que je vous ai dite, cette envie de mourir. »

MADELEINE. — « Est-ce que vous connaissez quelque chose de la mort ? »

JEUNE FEMME. — Elle sourit, elle dit : « Rien encore, rien, que la vie de quoi elle vient. (*Silence*). Ils sont arrivés vers les grands marécages de la Magra. Ici le vent de la mer tombe. Ici s'éteignent les bruits de l'été, tout mouvement. Il y a des joncs, des nids d'oiseaux de mer.

MADELEINE. — Elle lui dit : « C'est là que j'ai toujours voulu venir. »

JEUNE FEMME (*temps*). — Elle dit : « Si vous voulez, nous pouvons nous aimer. (*Temps*). C'est ici que je n'ai plus peur de mourir. »

Silence.

MADELEINE. — Le ciel de la chambre est devenu noir. Leurs ombres ont disparu des murs. (*Temps*). Je perds la mémoire.

Long silence. On entend le Quintette de Schubert.

MADELEINE. — Je fais ouvrir toutes les portes de la maison, la porte de la Magra, la porte des bateaux, la porte des chambres... que tout rentre et tue... les marécages, la boue, le fleuve... C'était un amour si fort...

Elles ferment les yeux, restent immobiles. L'adagio. Moment de repos.

Puis la Jeune Femme entraîne Made-
leine vers le miroir et, très lentement,
tandis que continue de se dérouler la
musique de Schubert, elle lui passe
des colliers autour du cou. Madeleine
se laisse faire. Elle aide la Jeune
Femme à la parer, elle, Madeleine,
avec beaucoup de soin. Elle sourit.
Quand tous les colliers sont mis, la
Jeune Femme enlace Madeleine comme
son propre enfant et l'appelle dans une
sorte d'amour fou.

JEUNE FEMME (*sourire d'une tendresse infi-*
nie). — Ma petite fille... ma fille... ma petite
poupée... mon trésor... ma chérie... mon
amour... ma petite, ma petite.

MADELEINE (*en écho*). — Ma petite... ma
petite... adorée, adorée... (*Temps. Eclatante* :)
C'était des jours chauds. (*Temps*). Très clairs.
(*Temps*). Très très clairs. (*Temps*). C'est plein
d'estivants, plein de lumière. (*Temps*). Plein
de bateaux. De barques. De joie.

JEUNE FEMME (*éclatante*). — C'était plein de
cris, de rires. (*Temps*). De chants (*Temps*). Et
de la mer. (*Temps*). Du bleu.

MADELEINE. — De l'ombre fraîche, plein. De
soleil. Du blanc de la pierre.

JEUNE FEMME. — D'elle. (*Temps*). Du blanc
de la pierre et d'elle sur ce blanc. (*Silence*).

Elle rit. Elle crie que sa peau brûle, qu'elle se brûle à sa peau à lui, et lui qui la tire par les bras, une anguille, et elle qui cède et qui s'allonge sur la pierre, qui pose son corps et son cœur et toute sa peau sur la pierre chaude.

MADELEINE. — Et lui qui lui enlève son maillot noir, et elle qui est nue, nue, et lui qui la couvre de baisers partout sur le corps, sur le ventre, sur le cœur, sur les yeux.

Silence. Retombée du temps éclatant.

MADELEINE. — Quelqu'un pleure de bonheur à les voir.

JEUNE FEMME. — Quelqu'un pleure de bonheur parce qu'ils vont mourir d'aimer. (*Silence*). L'enfant.

MADELEINE. — L'enfant a commencé à hurler avec le soir. Tout entier qu'on était distrait vers la souffrance, on l'avait oublié.

JEUNE FEMME. — Une petite fille ? (*Temps*). Elle avait faim ? (*Rire*).

MADELEINE (*sourire*). — Oui... oui... une petite fille... elle avait faim.

Silence. La Jeune Femme entraîne Madeleine dans une longue déambulation. D'abord vers le fond du décor, la porte de la mer, sorte d'autel ouvert

sur la mer, sur de la lumière qui s'as-
sombrit ou, au contraire, devient d'une
incandescence froide, selon la violence
ou la douceur de l'évocation, par les
deux femmes, de la jeune fille morte
dans la mer chaude de Savannah Bay.
Ensuite, cette déambulation se fait
vers les parages lointains de la scène
à proprement parler, vers les rideaux
de théâtre et les colonnes qui enca-
drent la porte.
Ce trajet dure de quatre à cinq minu-
tes. Elles ne parlent pas. Après avoir
regardé la mer au loin, elles regardent
les lieux et puis elles s'arrêtent et
regardent la salle, les gens de la salle.
Musique piano de la chanson de Piaf
pendant toute la déambulation.

SCÈNE III

JEUNE FEMME. — Et puis un jour il ne s'est
rien passé. (*Temps*). Un jour il a plu et il a
fait gris. (*Temps*). Tout le jour. (*Temps*). Le
ciel a disparu, la lumière, l'air, les arbres. La
nuit est venue très vite. (*Temps*). On a allumé
les lampes. Personne ne parlait. (*Silence*). Qui
était mort ce jour gris ? (*Temps long*). Qui

121

était mort ce jour gris ? Vous ne l'avez jamais dit. Vous n'avez jamais dit que quelqu'un était mort. (*Silence*). Pourquoi pas elle ? (*Temps*). Pourquoi pas elle ? Elle... irremplaçable... elle, dans la mort, parmi les autres, pourquoi pas ? (*Silence. Regard effrayé de Madeleine*). Vous avez toujours parlé d'un jour interminable, vous disiez qu'il avait duré cent ans. Qu'on avait fait la nuit dans la maison. Que tout était silencieux, sauf ces cris de l'homme qui appelait. Vous ne vous souvenez pas ?

MADELEINE. — Non.

JEUNE FEMME (*temps*). — Vous avez toujours parlé d'un jour sans soleil, très long. Des gens qui avaient appris la nouvelle, qui étaient venus, qui entouraient la maison. (*Temps. Geste de Madeleine : non*). Vous avez toujours parlé de cet homme qui ne comprenait pas la mort, qui appelait une morte vers la Magra. (*Temps. Geste de Madeleine : non*). Vous ne vous souvenez pas ?

MADELEINE. — Non.

JEUNE FEMME. — Vous vous souvenez de quoi ?

MADELEINE. — Des grands marécages à l'embouchure de la Magra. Des bois. Ils sont encore là. (*Temps*). La mer. (*Temps*). La pierre. (*Temps*). Le temps.

JEUNE FEMME. — Les cris.

MADELEINE. — Non. L'histoire.

JEUNE FEMME (*temps*). — On n'avait jamais vu un amour pareil ?

MADELEINE. — Non.

Silence.

JEUNE FEMME. — Un amour comment ?

MADELEINE. — Un amour. (*Temps*). Un amour de tous les instants. (*Temps*). Sans passé. (*Temps*). Sans avenir. (*Temps*). Fixe. (*Temps*). Un crime.

Silence.

JEUNE FEMME. — Le soleil chaque matin au sortir du noir, et eux ils s'aiment d'un amour entier, mortel, dans la monotonie du temps.

MADELEINE. — Dans la monotonie du temps, oui, cet amour... singulier...

Silence.

JEUNE FEMME. — C'était ce que l'on disait? Ensuite, on l'a écrit dans un livre ?

MADELEINE. — Je crois. Dans une pièce de théâtre aussi. Et puis ensuite dans un film. (*Temps*). Le film, c'était après, c'était bien après. Dans le film, on ne parlait que de lui. (*Temps*). Je découvrais qu'il vivait encore. Je le rencontrais dans une ville du Siam, à Savannah Bay. (*Silence*). Dites-moi, une petite fille serait née ces jours-là que vous dites... si terribles... ?

JEUNE FEMME (*temps*). — Une petite fille est née ce jour-là, de la mort, oui. (*Temps*). Ici, la mémoire est claire, lumineuse. Rappelez-vous, c'était dans le journal : Elle aurait quitté son lit d'accouchée pour aller vers les étangs...

MADELEINE. — Ah... oui... Elle aurait quitté son lit d'accouchée pour aller vers les étangs. (*Temps*). C'était ce que l'on avait dit. On l'aurait beaucoup blâmée pour ça... d'avoir quitté l'enfant.

JEUNE FEMME (*temps*). — Peut-être que l'enfant, ça a été trop de bonheur à la fois ? (*Temps*). Peut-être que l'enfant ce n'était pas la peine. (*Temps*). Que leur amour ne pouvait s'accommoder d'aucun autre amour. (*Temps*). Que rien n'aurait pu empêcher la mort. (*Temps*). C'était la fin de l'été, c'était la nuit, il pleuvait ?

MADELEINE (*temps*). — C'était la nuit, il pleuvait. C'et souvent dans cette région, à la fin de l'été. (*Temps*). Elle avait quitté sa mère aussi. (*Silence*). Entre eux deux ils ne voulaient rien. Ils voulaient le monde vide et eux seuls dans

124

le monde vide. (*Temps*). Pour eux, ce n'était plus la peine que les jours soient différents, que ce soit l'hiver, que ce soit l'été. (*Temps long*). Au théâtre, oui, c'était vers les étangs que l'homme appelait : « Ecoutez... on crie... ça vient des étangs... écoutez... » (*Temps long*). On n'est pas allé voir. (*Temps*). Quelqu'un avait laissé une porte ouverte à l'office. Il aurait pu revenir. Il ne l'a pas fait. (*Temps*). Peut-être qu'il ne sait plus le chemin... peut-être... Il faut dire que nous ne savions plus rien, ni parler, ni pleurer. (*Temps*). Je ne sais pas si on a jamais retrouvé son corps. Je n'ai jamais demandé ça. (*Temps*). Je ne sais plus. (*Silence. Elle cherche, doute*). C'était sans doute l'homme de la pierre blanche, mais... qui sait ? (*Temps*). C'était peut-être un des hommes de la pierre blanche... celui qu'elle avait choisi, elle, pour aimer et mourir.

Silence.

JEUNE FEMME. — Le troisième jour...

MADELEINE. — Le troisième jour, quand le soleil s'est levé, on ne criait plus. Nulle part. (*Temps*). Qui sait ? (*Temps*). Il a peut-être choisi de vivre... de partir. (*Temps long*). C'est curieux... de ces choses-là je suis sûre... du noir de la nuit. (*Temps*). De la pluie. (*Temps*). Des cris. (*Temps*). Du lever du soleil le lendemain. (*Temps*). De cette couleur de la mer...

125

(*Temps*). Du son des voix. (*Temps*). Du silence entre les voix. (*Temps long. Egarée :*) Il l'appelait sur la mer : « Savannah ». Quelquefois il hurlait. Quelquefois il lui parlait très doucement. Personne ne comprenait. (*Temps. Colère*). Comment voulez-vous comprendre des gens comme ça, qui ne s'adressent qu'à l'un l'autre face à l'Eternel ? Comment ?

Silence.

JEUNE FEMME. — On aurait pu les appeler...

MADELEINE. — On aurait pu les appeler... les supplier de revenir. Mais on ne l'a pas fait... on ne l'aurait pas fait... C'était une affaire entre les amants... (*Temps. Lenteur*). Ils ont dû nager loin. Sur sa demande, à elle. Ça, c'est sûr. Et puis... ça a dû être comme l'arrivée du sommeil. (*Temps long*). A elle, la chose a dû lui être facile, elle était si fatiguée... ses couches dans la même nuit... A lui, non, ça n'a pas dû être possible, lui était dans toute sa force, il n'a pas pu s'en délivrer pour s'empêcher de nager. (*Temps*). C'est ce qu'on a dit partout, ce qu'on a écrit, ce qu'on a joué partout, partout.

JEUNE FEMME (*visage caché*). — Qu'est-ce que vous dites, vous ?

MADELEINE (*net comme un verdict*). — Je dis

que c'est un instant comme la pierre est blanche. Sans plus personne. Tout à coup.

JEUNE FEMME. — Seulement la mer autour de la pierre. (*Temps*). Les cris. (*Silence*). C'est un instant de théâtre.

MADELEINE. — C'est un instant d'infinie douleur.

> *La Jeune Femme s'approche de Madeleine qui reste assise près de la table. Fin de la musique de Schubert.*

JEUNE FEMME. — La salle est pleine. On s'empêche de mourir par politesse. La salle attend. On lui doit le spectacle.

MADELEINE. — La salle est noire. (*Temps*). On lui raconte qui est mort. (*Temps*). Qui est resté en vie. (*Temps*). Qui criait. (*Temps*). On lui dit comme la mer était bleue. (*Temps*). Quelle chaleur c'était. (*Temps*). Comme la pierre est blanche.

JEUNE FEMME. — Comme la douleur et longue. (*Temps*). Comme elle change. (*Temps*). Comme elle devient. (*Temps*). Le second voyage. (*Temps*). L'autre rive. (*Temps*). Le deuxième amour.

MADELEINE. — Le deuxième amour.

> *La porte de la mer s'éclaire. Toute la*

lumière se modifie autour des deux femmes.
Madeleine se retourne et regarde la porte ouverte sur la lumière. Elle reste là, à la regarder.
La Jeune Femme va vers cette porte, se tient au bord de la lumière un long instant. La main au-dessus des yeux, elle cherche sur la mer. Puis elle revient calmement vers Madeleine. Elle prend une écharpe et la met sur ses épaules. On pourrait penser que le soir vient.
Elles sont proches l'une de l'autre.
Musique forte qui diminue parfois jusqu'à disparaître mais qui ne cessera jamais jusqu'à la fin de la pièce.

JEUNE FEMME. — On n'a pas voulu vous écrire cette pièce de théâtre ?

MADELEINE (*temps*). — On n'a jamais voulu. Non. Pour des raisons très ordinaires. (*Temps*). Pour ne pas réveiller la douleur, vous voyez. Et puis parce que je ne pouvais plus courir pour me jeter à son cou... courir pour m'en aller. (*Temps*). Enfin, vous voyez...

JEUNE FEMME. — On aurait entendu une chanson...

MADELEINE. — Oui : « Mon amour, mon amour ». (*Temps*). Vous la connaissez ?

JEUNE FEMME. — Oui.

Silence. Gaieté.

MADELEINE. — La pièce ne sera jamais écrite.
Alors, autant mourir.

JEUNE FEMME. — Autant vivre, pareil...

MADELEINE. — Pareil... C'est vrai, au fond.

JEUNE FEMME. — Ainsi, c'est une pièce qui
n'a été ni jouée ni écrite.

MADELEINE. — Rien... Pour ce qui est de
cette pièce-là, rien. (*Temps*). Enfin... elle n'aura
pas été jouée complètement. (*Temps*). Mais
jamais rien n'est complètement joué précisé-
ment au théâtre... alors... On croit jouer ça
alors qu'on joue ça... Moi j'ai vu des grands
acteurs se tromper de pièce tout d'un coup...
et personne pour s'en apercevoir. (*Temps*).
Tout communique au théâtre, toutes les pièces
entre elles mais jamais rien n'est joué vraiment,
on fait toujours comme si c'était possible de...
Mais...

JEUNE FEMME. — De... ? De quoi... ?

MADELEINE. — Eh bien... de dire... (*simplicité
sublime* :) « Madame, bonjour, bonjour... ce
temps qu'il faut aujourd'hui donnerait l'envie
de mourir d'un excès de lumière, madame... du
bleu de ce ciel, madame... d'un amour tout
aussi bien... Bonjour, madame... »

129

JEUNE FEMME. — « Bonjour, bonjour ».

> Rires légers.
> Fin des rires.
> Elles reviennent à la table, reprennent
> une tasse de thé.

JEUNE FEMME. — Au théâtre, ç'aurait été aussi dans une ville du Siam que vous le retrouviez ?

MADELEINE. — Oui. Dans un bar. (*Temps*). Je le reconnaissais.

JEUNE FEMME (*temps. Raconte*). — C'est la fin d'un jour, (*temps*) juste avant la nuit, (*temps*) quand la lumière s'allonge, (*temps*) illuminante, avant de s'éteindre.

MADELEINE. — C'est le crépuscule. (*Temps*). On ne distingue plus l'étendue de la mer. (*Temps*). L'étendue de la mer se confond avec l'étendue rouge du ciel.

> Silence.

JEUNE FEMME. — C'est un homme qui pleure.

MADELEINE. — C'est un homme inconsolable d'avoir perdu une femme. (*Temps*). Je l'aime ainsi, ainsi privé de l'objet de son amour comme j'aurais aimé mon amant. Dès que je le vois, j'éprouve un très grand désir de son corps privé d'elle. (*Temps*). Je pleure, telle-

130

ment c'est un grand désir. (*Temps*). Il a des yeux clairs.

> *Silence.*
> *Tout à coup, voici le Siam.*

JEUNE FEMME. — Vous habitez le Siam, madame ?

MADELEINE. — C'est-à-dire que quelquefois, monsieur, n'est-ce pas, j'oublie où je... Excusez-moi.

JEUNE FEMME. — Elle est là pour un film, monsieur. Elle tourne un film à Savannah Bay. Avec Henry Fonda.

MADELEINE (*heureuse*). — Oui, c'est ça, je tourne un film à Savannah Bay avec Henry Fonda. Titre : *Savannah Bay.*

JEUNE FEMME. — Ça arrive souvent, des films, ici, à cause de l'admirable lumière de Savannah Bay.

MADELEINE. — Admirable... admirable...

JEUNE FEMME. — Toujours égale. Presque jamais de pluie. A peine quelques typhons vers les équinoxes. C'est tout.

MADELEINE. — C'est tout.

JEUNE FEMME (*temps*). — Un film d'amour, madame ?

MADELEINE. — Bien sûr, monsieur, bien sûr...

131

Musique de Schubert.
Geste de tristesse de Madeleine : deux
larmes essuyées du doigt.

JEUNE FEMME. — « Pourquoi ce désespoir, madame, tout à coup ? »

MADELEINE (*lenteur*). — « Parce que... je ne sais plus, monsieur, sur quoi je pleure... » (*Silence*). A mon avis, monsieur, elle se serait donné la mort une nuit, ici même. A Savannah Bay. Morte d'aimer. (*Silence*). Vous auriez été son amant. (*Temps*). Elle aurait essayé de vous entraîner dans la mort. (*Temps*). Vous ne seriez pas parvenu à mourir. (*Temps*). Elle aurait eu dix-sept ans. (*Temps*). Une enfant serait née de cet amour. (*Temps*). De cette mort dans la mer chaude de Savannah Bay. Mais qui sait ? (*Temps long*). C'est ce que je crois, monsieur, avoir su. (*Temps long*). Il y aurait de cela très longtemps, monsieur, on le dit, un nombre considérable d'années. (*Temps*). Alors, monsieur, à force, moi, je me trompe dans les dates... les gens... les endroits... (*Temps*). Partout elle est morte. (*Temps*). Partout elle est née. (*Temps*). Partout elle est morte à Savannay Bay. (*Temps*). Née là. A Savannah.

JEUNE FEMME. — Il vous a dit que ce n'était pas lui qu'elle avait aimé. (*Temps*). « Ce n'est pas moi, madame, qui ai vécu cet amour. Excusez-moi. »

MADELEINE. — « C'est égal, monsieur, c'est égal... » (*Silence*). Je m'en allais. Je quittais le Siam.

JEUNE FEMME. — Vous recommenciez à chercher.

MADELEINE. — Oui. Partout. Dans les villes du monde qui sont au bord de la mer.

JEUNE FEMME. — Shangai... Calcutta... Rangoon... (*Temps*). Ou encore ailleurs... (*Temps*). Bombay... Paris-Plage... Bangkok... Djakarta... Singapore... Lahore... Biarritz... Sydney...

MADELEINE. — Saigon... Dublin... Osaka... Colombo... Rio... (*Temps*). Et qui sait ? (*Temps*). Et qui sait ?

JEUNE FEMME. — Et qui sait ?

> *Silence. Ton différent, comme d'un autre jour.*

JEUNE FEMME. — A l'enfant qui est né on n'a pas donné de nom, je vous l'ai dit ?

MADELEINE. — Elle s'est nommée elle-même plus tard.

JEUNE FEMME. — C'est ça. Elle s'est donnée le nom de Savannah.

JEUNE FEMME (*temps*). — Celui du feu.

MADELEINE. — Celui de la mer.

ŒUVRES DE MARGUERITE DURAS

LES IMPUDENTS (1943, *roman,* Plon).

LA VIE TRANQUILLE (1944, *roman,* Gallimard).

UN BARRAGE CONTRE LE PACIFIQUE (1950, *roman,* Gallimard).

LE MARIN DE GIBRALTAR (1952, *roman,* Gallimard).

LES PETITS CHEVAUX DE TARQUINIA (1953, *roman,* Gallimard).

DES JOURNÉES ENTIÈRES DANS LES ARBRES, *suivi de :* LE BOA — MADAME DODIN — LES CHANTIERS (1954, *récits,* Gallimard).

LE SQUARE (1955, *roman,* Gallimard).

MODERATO CANTABILE (1958, *roman,* Editions de Minuit).

LES VIADUCS DE LA SEINE-ET-OISE (1959, *théâtre,* Gallimard).

DIX HEURES ET DEMIE DU SOIR EN ÉTÉ (1960, *roman,* Gallimard).

HIROSHIMA MON AMOUR (1960, *scénario et dialogues,* Gallimard).

UNE AUSSI LONGUE ABSENCE (1961, *scénario et dialogues,* en collaboration avec Gérard Jarlot, Gallimard).

L'APRÈS-MIDI DE MONSIEUR ANDESMAS (1962, *récit,* Gallimard).

LE RAVISSEMENT DE LOL V. STEIN (1964, *roman,* Gallimard).

THÉATRE I : LES EAUX ET FORÊTS — LE SQUARE — LA MUSICA (1965, Gallimard).

LE VICE-CONSUL (1965, *roman,* Gallimard).

LA MUSICA (1966, *film,* co-réalisé par Paul Seban, distr. Artistes Associés).

L'AMANTE ANGLAISE (1967, *roman,* Gallimard).

L'AMANTE ANGLAISE (1968, *théâtre,* Cahiers du Théâtre national populaire).

THÉATRE II : SUZANNA ANDLER — LES JOURNÉES ENTIÈRES DANS LES ARBRES — YES, PEUT-ÊTRE — LE SHAGA — UN HOMME EST VENU ME VOIR (1968, *Gallimard*).

DÉTRUIRE, DIT-ELLE (1969, Editions de Minuit).

DÉTRUIRE, DIT-ELLE (1969, *film,* distr. S. M. E.-P. A.).

ABAHN, SABANA, DAVID (1970, Gallimard).

L'AMOUR (1971, Gallimard).

JAUNE LE SOLEIL (1971, *film*).

NATHALIE GRANGER (1972, *film,* distr. Films Molière).

INDIA SONG (1973, *texte, théâtre, film,* Gallimard).

LA FEMME DU GANGE (1973, *film*).

NATHALIE GRANGER, *suivi de* LA FEMME DU GANGE (1973, Gallimard).

LES PARLEUSES (1974, *entretiens avec Xavière Gautier*, Editions de Minuit).

INDIA SONG (1975, *film, distr.* Films Armorial).

BAXTER, VERA BAXTER (1976, *film,* distr. N. E. F. Diffusion).

SON NOM DE VENISE DANS CALCUTTA DÉSERT (1976, *film,* distr. Cinéma 9).

DES JOURNÉES ENTIÈRES DANS LES ARBRES (1976, *film,* distr. Gaumont).

LE CAMION (1977, *film,* distr. Films Molière).

LE CAMION, *suivi de* ENTRETIEN AVEC MICHELLE PORTE (1977, Editions de Minuit).

L'EDEN CINÉMA (1977, *théâtre,* Mercure de France).

LE NAVIRE NIGHT (1978, *film,* Films du Losange).

CÉSARÉE (1979, *film,* Films du Losange).

LES MAINS NÉGATIVES (1979, *film,* Films du Losange).

AURÉLIA STEINER, *dit* AURÉLIA MELBOURNE (1979, *film,* Films Paris-Audiovisuels).

AURÉLIA STEINER, *dit* AURÉLIA VANCOUVER (1979, *film,* Films du Losange).

VÉRA BAXTER OU LES PLAGES DE L'ATLANTIQUE (1980, Albatros).

L'HOMME ASSIS DANS LE COULOIR (1980, Editions de Minuit).

L'ÉTÉ 80 (1980, Editions de Minuit).

LES YEUX VERTS (1980, Cahiers du cinéma).

AGATHA (1981, Editions de Minuit).

L'HOMME ATLANTIQUE (1982, Editions de Minuit).

SAVANNAH BAY (première édition, 1982, Editions de Minuit).

LA MALADIE DE LA MORT (1982, Editions de Minuit).

Adaptations pour la scène :

LA BÊTE DANS LA JUNGLE, *d'après une nouvelle de Henry James. Adaptation de James Lord et de Marguerite Duras.*

MIRACLE EN ALABAMA, de William Gibson. *Adaptation de Marguerite Duras et Gérard Jarlot (1963, L'Avant-Scène).*

LES PAPIERS D'ASPERN, de Michael Redgrave, *d'après une nouvelle de Henry James. Adaptation de Marguerite Duras et Robert Antelme (1970, Ed. Paris-Théâtre).*

HOME, de David Storey. *Adaptation de Marguerite Duras (1973, Gallimard).*

CET OUVRAGE A ÉTÉ ACHEVÉ D'IMPRIMER
LE VINGT-SIX OCTOBRE MIL NEUF CENT QUATRE-
VINGT-TROIS SUR LES PRESSES DE L'IMPRI-
MERIE CORBIÈRE ET JUGAIN, A ALENÇON
ET INSCRIT DANS LES REGISTRES DE L'ÉDI-
TEUR SOUS LE NUMÉRO 1851

Dépôt légal : octobre 1983

Dépôt légal : octobre 1983